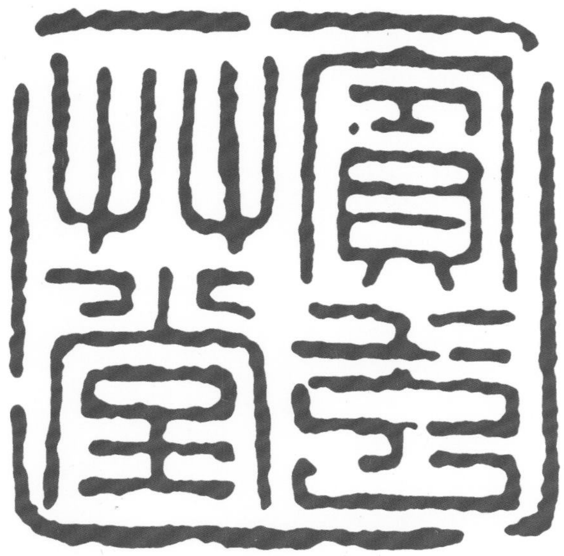

黃賓虹全集

《黃賓虹全集》編輯委員會編

8

花鳥

山東美術出版社·浙江人民美術出版社

主　編・王伯敏
分卷主編・盧坤峰　王　荔

目次

導語·自自在在

宋元人多作雙鈎花卉，每超逸有致，明賢秀勁當推陳章侯。余略變法爲之。

——黄賓虹自題畫

一九三七年春夏之間，七十四歲的黄賓虹爲完成故宮南遷書畫的鑒定工作遠赴北平。不久，遭遇『七七事變』，北平淪陷。南返無計，黄賓虹只得沉下心來。除尚在古物陳列所繼續的工作，國畫研究院及北平藝專的教學外，便是整理平生所積累的寫生、臨古『三擔稿』。他潛心探究如何將業已成熟的『黑密厚重』畫風推向極致，探究繁簡疏密諸畫法的破解，探究如何將金石融入筆意甚而拓展山水畫的皴法。國破家飄零的境遇，畫風欲變未變的瓶頸狀態，合爲一個憂思、苦悶的特殊時期。出人意料的是，黄賓虹這時候畫了大量的花鳥作品。在給南方弟子黄羲的信中，他寫道：『風雨摧殘，繁英秀萼亦不因之稍歇。』應該就是黄賓虹此時在北平的實況。

敵寇臨城肆虐之際，反以從容淡定處之，亦是中國文士特有的一種尊嚴本色。一九四四年春，黄賓虹過長安街，見日軍在新華門前集隊操練，憤懣不禁，歸家作《黍離圖》㈠。題曰：『太虚蠓蠛幾經過，瞥眼桑田海又波。玉黍離離舊宮闕，不堪斜照伴銅駝。』猖狂一時的日寇，在黄賓虹眼中就像是夏日空中亂舞的小蟲子。但目睹被摧殘、被污辱的家國，怎麽也難免『心中如噎』。看慣世事滄桑的黄賓虹，内心潛藏的是對這個國族的深切信念，這種信念恰是他能够淡定從容的内在力量。在當時的北平，有不少人喜愛黄賓虹的花卉作品，一些作品還出現在琉璃廠的畫鋪。

雖説黄賓虹大量花鳥作品作于北平期間，但署年款的不多見。這裏之所以將大部分無年款作品定爲北平期間所作，是參照了他山水畫筆墨技法的進程特徵。七十歲以後，黄賓虹的山水畫筆墨技法和風格已趨成熟，而他的花鳥畫根基在山水。而且，我們還可發現，與其山水一致，他的花鳥也從明人法度出發，即以明人沈周、陳白陽成熟的寫意花鳥爲基本框架上溯元人。因爲明人之表現『物物有一種生意』，亦即在生機情趣上，在筆墨勾染的方法上既比元人更放得開，又比清人淳厚，這是深意所在。明代畫家去古不遠，又不同于近人趙之謙、吴昌碩等的排奡恣縱，這讓黄賓虹在明人『勾花點葉』草筆寫意的天地裏流連了很久。這時黄賓虹年過古稀，筆墨修養胸襟氣質已不同凡響。恂恂然，靄靄然，信手拈來能化厚重爲輕靈，得謹嚴而自在，正如潘天壽謂其『與所繪山水了不相似』。還應注意，潘天壽强調的是，能拉開厚重與輕靈之間的差距是一種大本事，因爲其内裏依托是筆墨根柢，是胸襟的瀟散疏放。

辨識黄賓虹筆下的花卉，大致可分出這樣幾種類型：一清雅、一穠麗、一老健而有稚趣，在時序上也大致如此。居北平前後一類作品，落筆輕柔靈動且多山花野卉，這是觀者最爲『驚艷』的部分。畫中出筆、落墨輕捷單純，用色尤其清麗秀美，似是筆端隨機流瀉的温情。雖凡卉雜花，但氣息沉静高雅。古稀老人的筆下，分明透出一種温存憐愛情懷，不由人感慨。用潘天壽的話來説，『其意境每得之于荒村窮谷間，風致妍雅，有水流花放之妙』。潘先生所言極是，以黄賓虹的『民學』思想，宋人經典中的『黄家富貴，徐門野逸』，他必定更傾向于『野逸』式天然疏放的生命特徵。這裏需要插一句的是，從遺存作品看，北平期間，黄賓虹還大量地寫草書，即其所謂『每日晨起作草以求舒和之致』。這樣作草書以求腕力之功，不僅已體現在他的山水畫裏，更多見于花卉寫意中。較早期的作品，尤其着意于筆致的輕清散淡，但見筆下枝葉飄忽飛動，似有微風輕拂其間。這種極需功力的動勢筆綫，全賴腕間力量控制的微妙。除了那些知名不知名的山花野草，黄賓虹還熱衷于人稱有『富貴氣』的牡丹圖，但他筆下的牡丹顯然没有那種附加的『富貴氣』。黄賓虹還原了它自有的風采，它天然舒放，美而健康，是一種完全擁有自然天性的『富貴』。另一路歷來被稱爲『君子』的題材——梅蘭松竹，最易落入程式而讓人乏味，黄賓虹則着意强化其氣質之清靈。他曾反復意臨元明的梅竹小品，不僅充分再現了古人高華的氣息，而且在枝枝葉葉間展示了濃鬱的書法意趣。在此基礎上，他創作了許多以梅竹爲題材的作品，如《梅竹水仙》㊁，水墨與設色被一種灰調子統一起來，還以灰色的墨暈加在水仙花的周邊。諸『君子』和而不同，光影、香氛，瀟灑蘊藉，欹側間自有一種月白風清之致。這樣的花卉別具一番用心，也別開了一番生面。從這裏，我們可以一窺黄賓虹欲將『黄家富貴，徐門野逸』，將元人之『古雅』與明人的『生意』作融會貫通的創造性探索。

在黄賓虹八十五歲由北平南返杭州前後，又有一種爛漫絢麗的風格出現。黄賓虹早年在滬上，于海上畫壇多取低調姿態。但處于這一城市，海派畫風畢竟也熏染過他。明艷色彩之嘗試，并用于九秩變法時的山水畫便是例證。難得的是，他怎麼下筆都能以『自自在在』之内功規避海上浮俗之習氣。八十五歲前後還有相當數量一批作品，款題『虹叟』。與同時期山水一樣，明顯可看出在作一種金石筆意入畫的嘗試。八十五歲以後，題款文字多見『擬元人意』。有一題更明確寫道：『元人花卉，簡勁古厚，于理法極其嚴密，白陽、青藤猶有不逮。』又曰：『没骨、雙鈎，宋人有獷悍氣，洎元始雅淡。』由此可知，黄賓虹之于畫史經典，山水着眼于五代北宋，花卉尤重元人。他于二者雖從明人築基，心所向往却在宋元。這正是他幾十年孜孜所求的『沉雄古厚』『簡勁古厚』之法的源頭所在。而『古厚』一語，殊可再三揣摩。

黄賓虹晚年尤其九秩變法時期的山水畫，尤被世人贊嘆的是墨法之精湛和用色之大膽，這實驗裏面就有來自花鳥畫的靈感。而此時的花鳥畫，與其山水俱入化境。如作于九十歲的《芙蓉》㊂，破墨法兼及色彩的濃淡互破，漬墨法同樣用于色彩漬染，使得水墨與設色隨遇生發。而筆綫的凝練蒼辣與墨色暈章之淹潤華滋如同所題：『含剛健于婀娜』。寫生物之意態，抒胸中之情懷，黄賓虹做到了出神入化。《黄山野卉》㊃是黄賓虹晚年常作的題材，爲抒發對故里黄山風物的念想，多用豐潤厚實而融洽的筆墨和設色，斑斕而渾融，與此時的山水有同一旨趣和境界。已進入圓融境地的黄賓虹，這時仍用穠麗爛漫的筆調創作帶有海上畫風的大筆寫意。在花草叢中，總有一兩隻神氣活現的翠衣螳螂或憨憨的紅衣小甲蟲。筆墨之蒼老，情態之童真，相得益彰。真所謂『水流花放之妙』，『妙在自自在在』。

高山峻嶺須敷以華滋草木，有繁英秀萼以至鳥飛蟲鳴，才足以表達黄賓虹心中眼中的『大美』。我們相信，既有悲天憫人之襟懷，又具『自自在在』之品性，才有豐沛的情感，才是完整的性情。拈花一笑慰平生，黄賓虹眼中筆下的花鳥草蟲，伴隨他得享高壽且越老越健，大器終成。

注釋：㊀見本卷第二四九頁。㊁見本卷第一〇四頁。㊂見本卷第三〇七頁。㊃見本卷第三一二頁。

花鳥作品圖版

梅　紙本　縱一〇七·九厘米　橫四二·八厘米　浙江省博物館藏

題識：疏花纖月鬥清寒　曾向西湖雪後看　零落斷香三十載　幾家風笛倚闌干　南崖高松

鈐印：黃賓虹　片石居

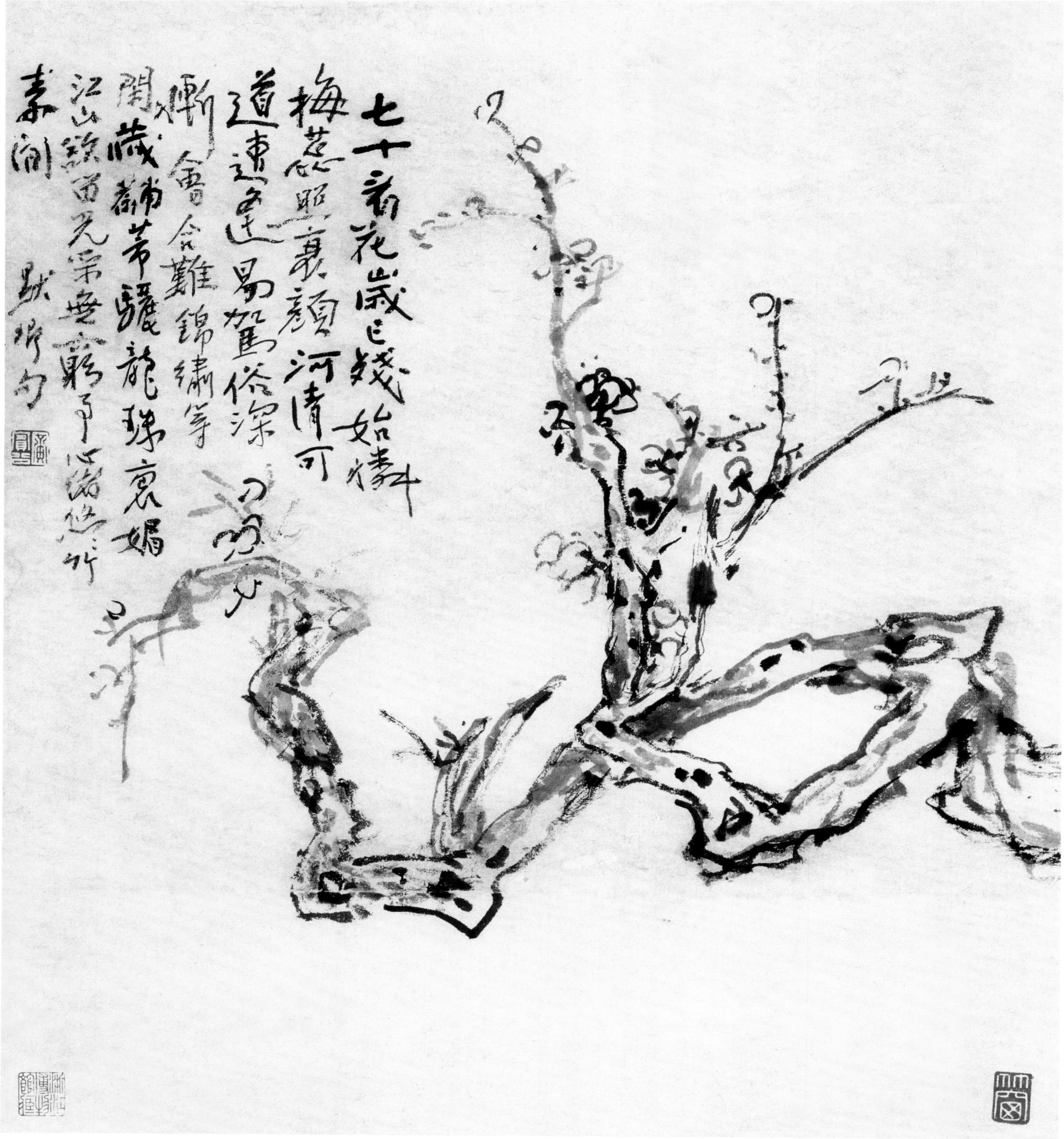

梅　紙本

縱四七·五厘米　橫四二·三厘米

浙江省博物館藏

題識：

七十看花歲已殘　始憐梅蕊照衰顏
河清可道遭逢易　駕俗深慚會合難
錦綉等閑藏黼芾　驪龍珠裒媚江山
欲留光彩無窮事　心緒悠悠竹素間

默卿句

鈐印：黃賓虹　竹窗

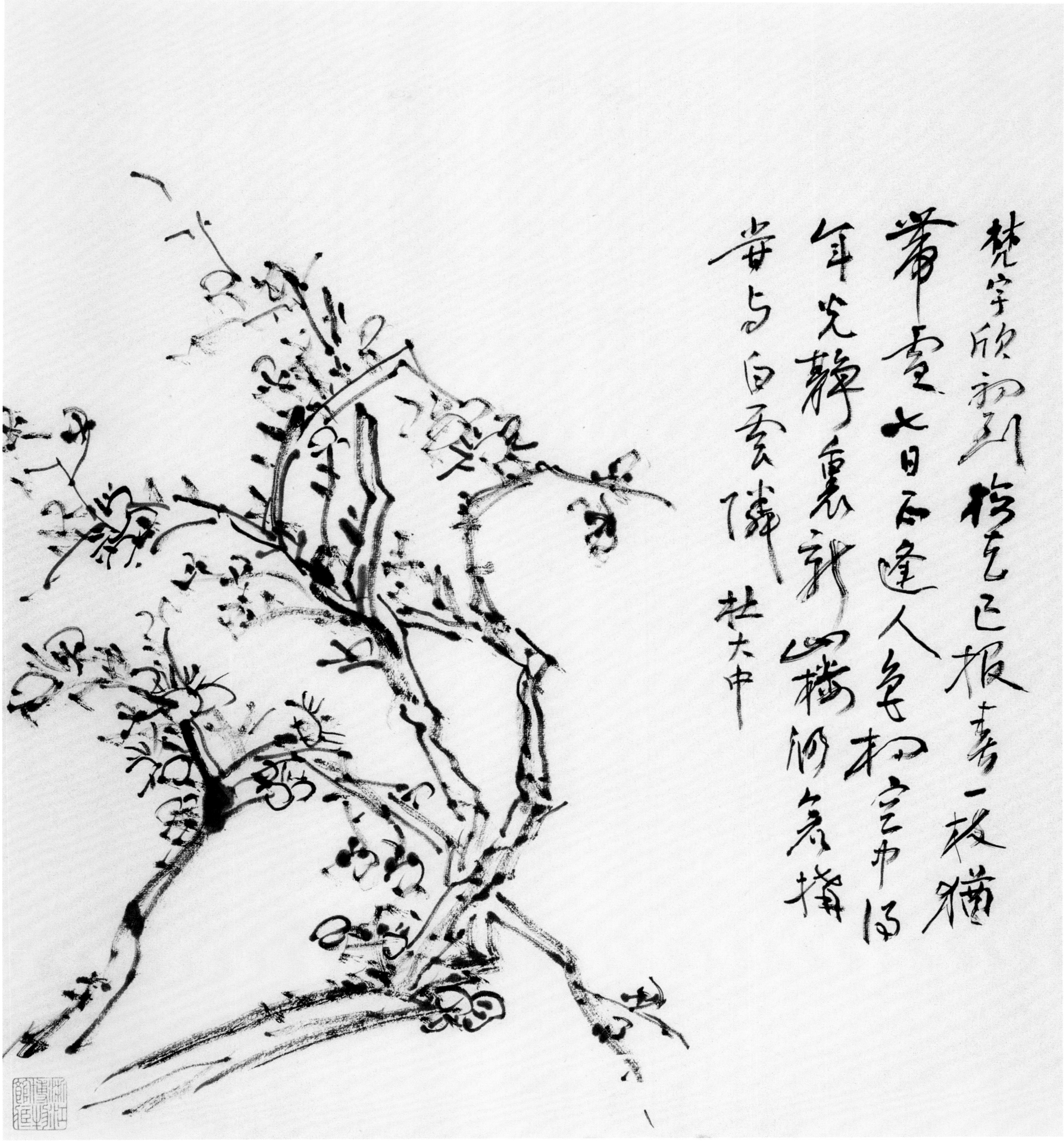

梅 紙本

縱四一厘米 橫三七厘米

浙江省博物館藏

題識：

梵宇欣初到　梅花已報春

一枝猶帶雪　七日正逢人

色相空中得　年光静裏新

山樓仍若構　嘗與白雲鄰

杜大中

仿古墨梅 兩幅

紙本

縱四〇厘米

橫三一厘米

浙江省博物館藏

之一

之二

梅 紙本

縱三九・六厘米

横二七・八厘米

浙江省博物館藏

梅 紙本
縱三九·四厘米
橫二七·八厘米
浙江省博物館藏

梅 紙本 縱一八厘米 橫二五厘米 私人藏

鈐印：賓虹 潭上質 黄賓虹 黄質賓虹

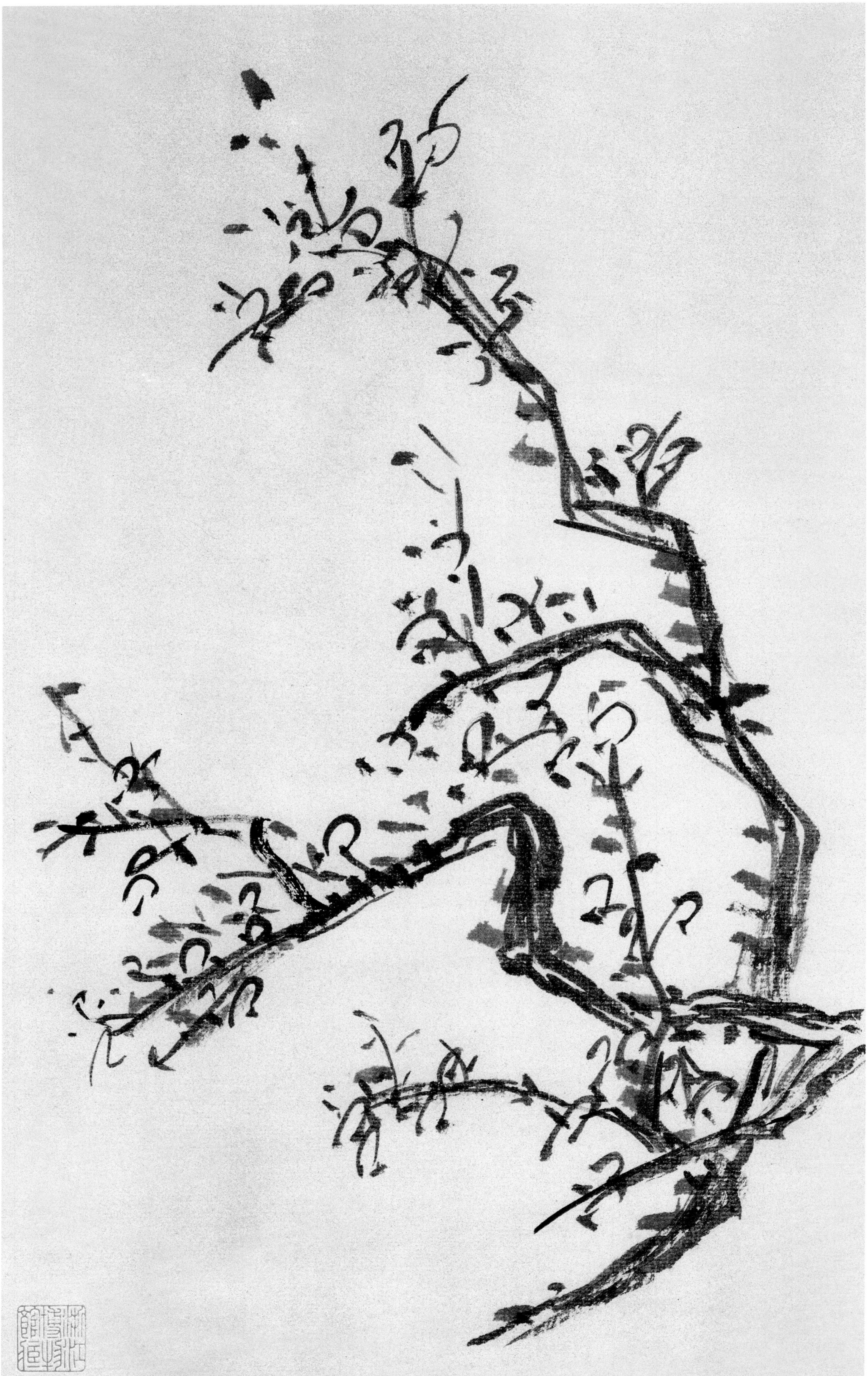

梅

紙本　縱三九·四厘米　橫二三·八厘米　浙江省博物館藏

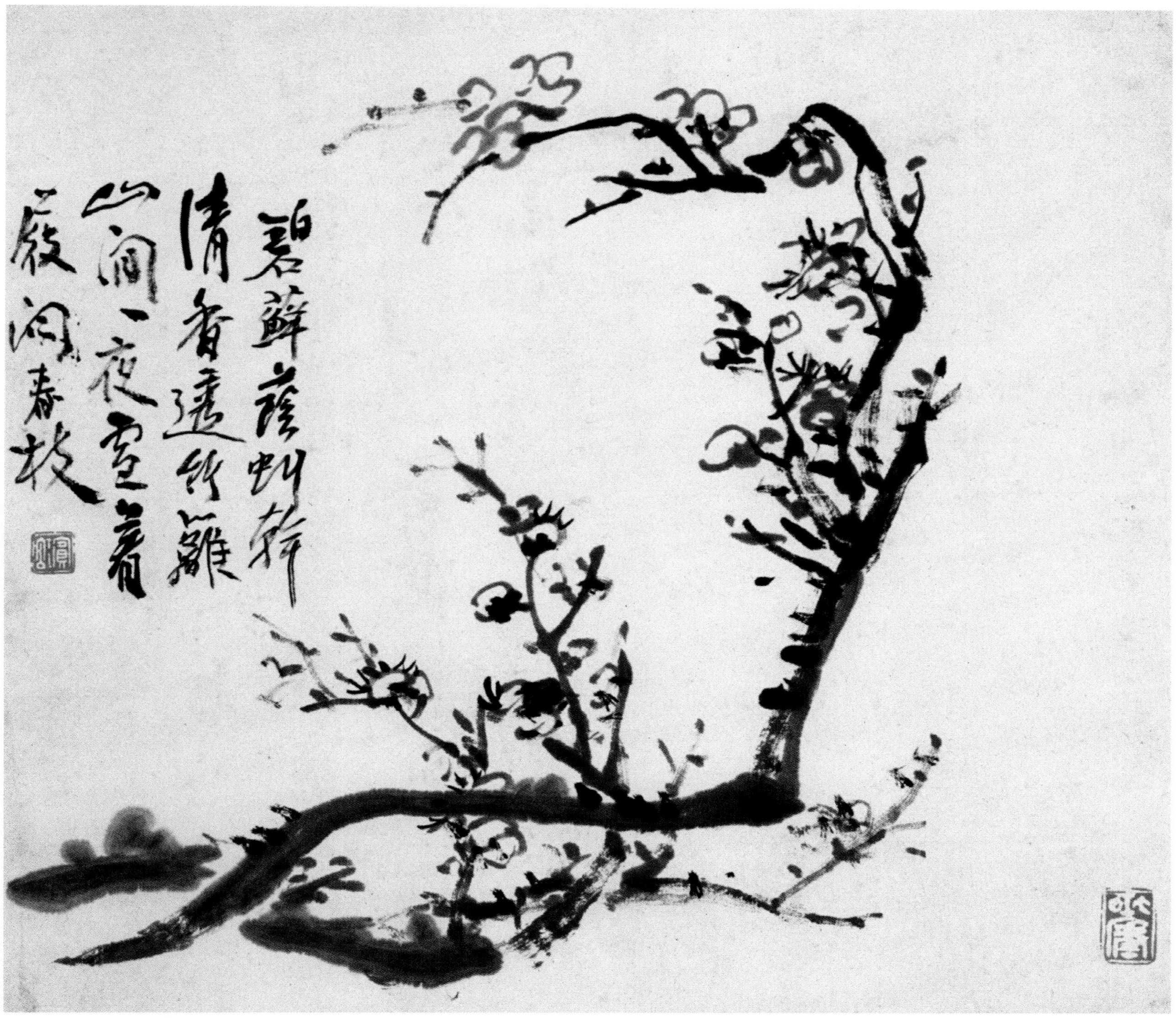

清香透竹籬　紙本　縱三六·五厘米　橫四〇·五厘米　安徽省博物館藏

題識：碧蘚蔭虬幹　清香透竹籬　山間一夜雪　着屐問春枝

鈐印：賓虹　虹廬

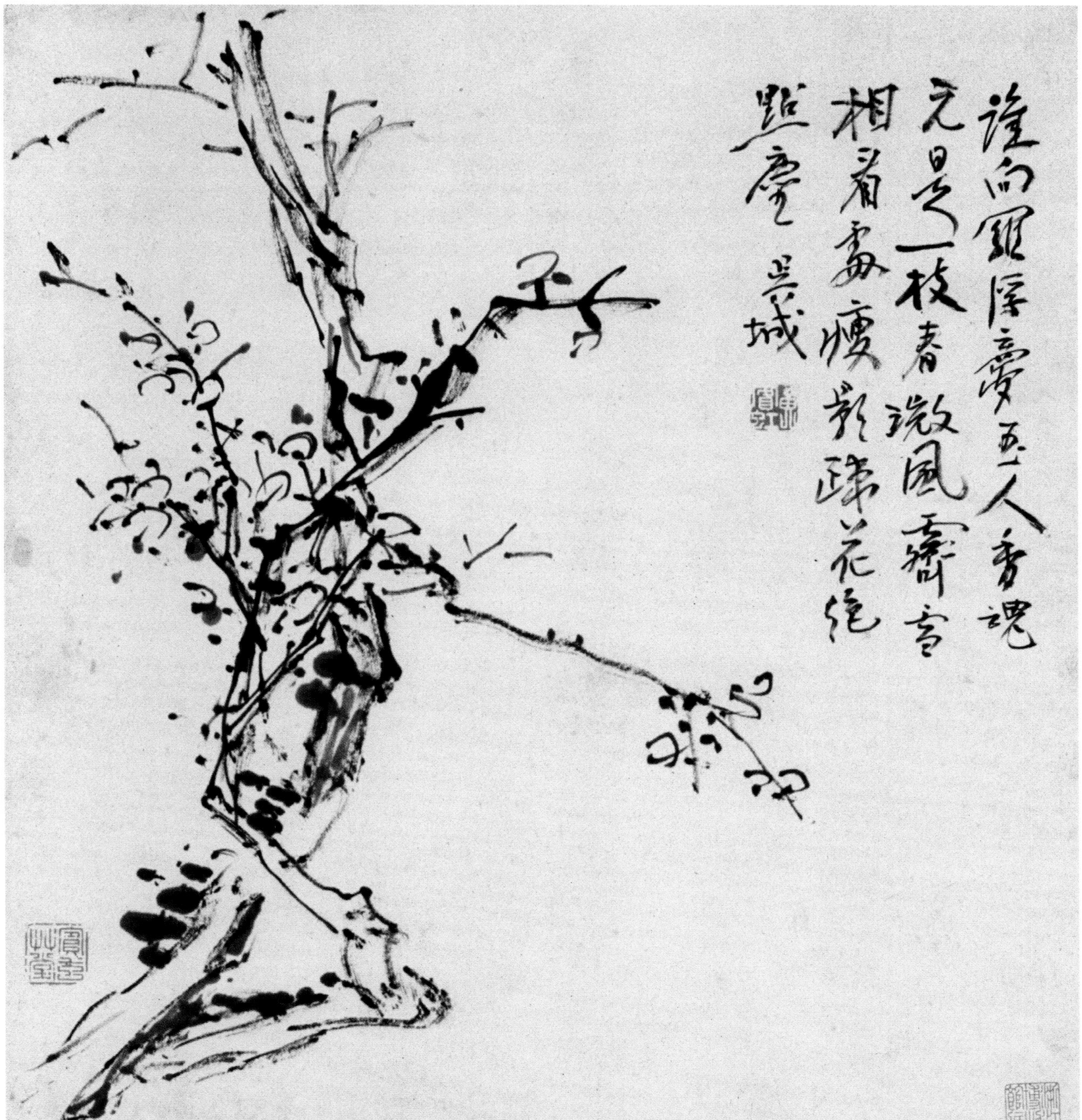

一枝春　紙本　縱四一厘米　橫三七厘米　安徽省博物館藏

題識：誰向羅浮夢玉人　香魂元是一枝春　微風霽雪相看處　瘦影疏花絕點塵　吴城

鈐印：黄賓虹　賓虹草堂

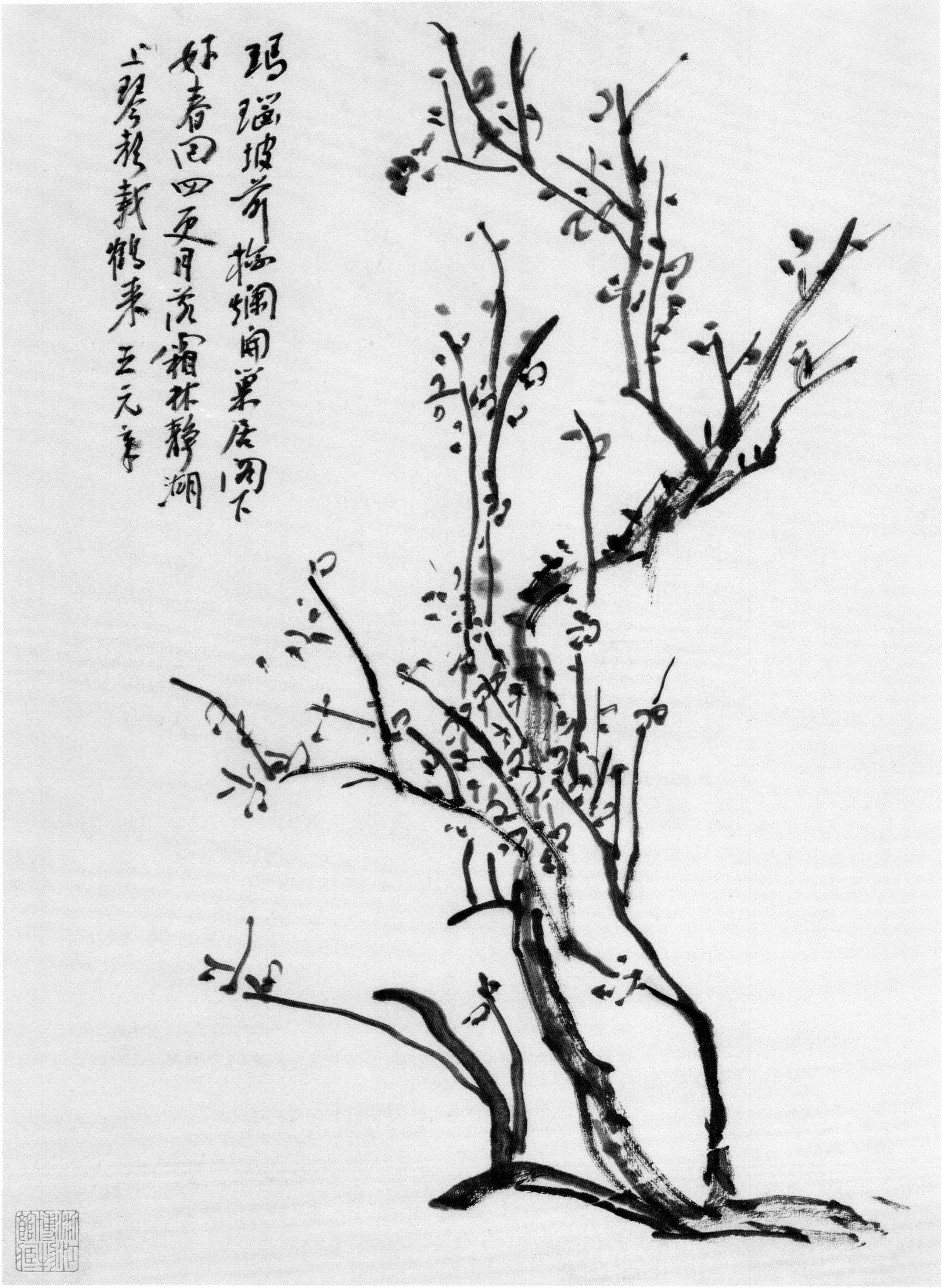

仿王冕梅

紙本

縱三九·五厘米

橫二七·七厘米

浙江省博物館藏

題識：

瑪瑙坡前梅爛開

巢居閣下好春回

四更月落霜林靜

湖上琴聲載鶴來

王元章

梅 紙本

縱三九·四厘米

橫二七·九厘米

浙江省博物館藏

仿古墨梅 四幅

紙本

縱三九厘米

橫二九厘米

浙江省博物館藏

之一

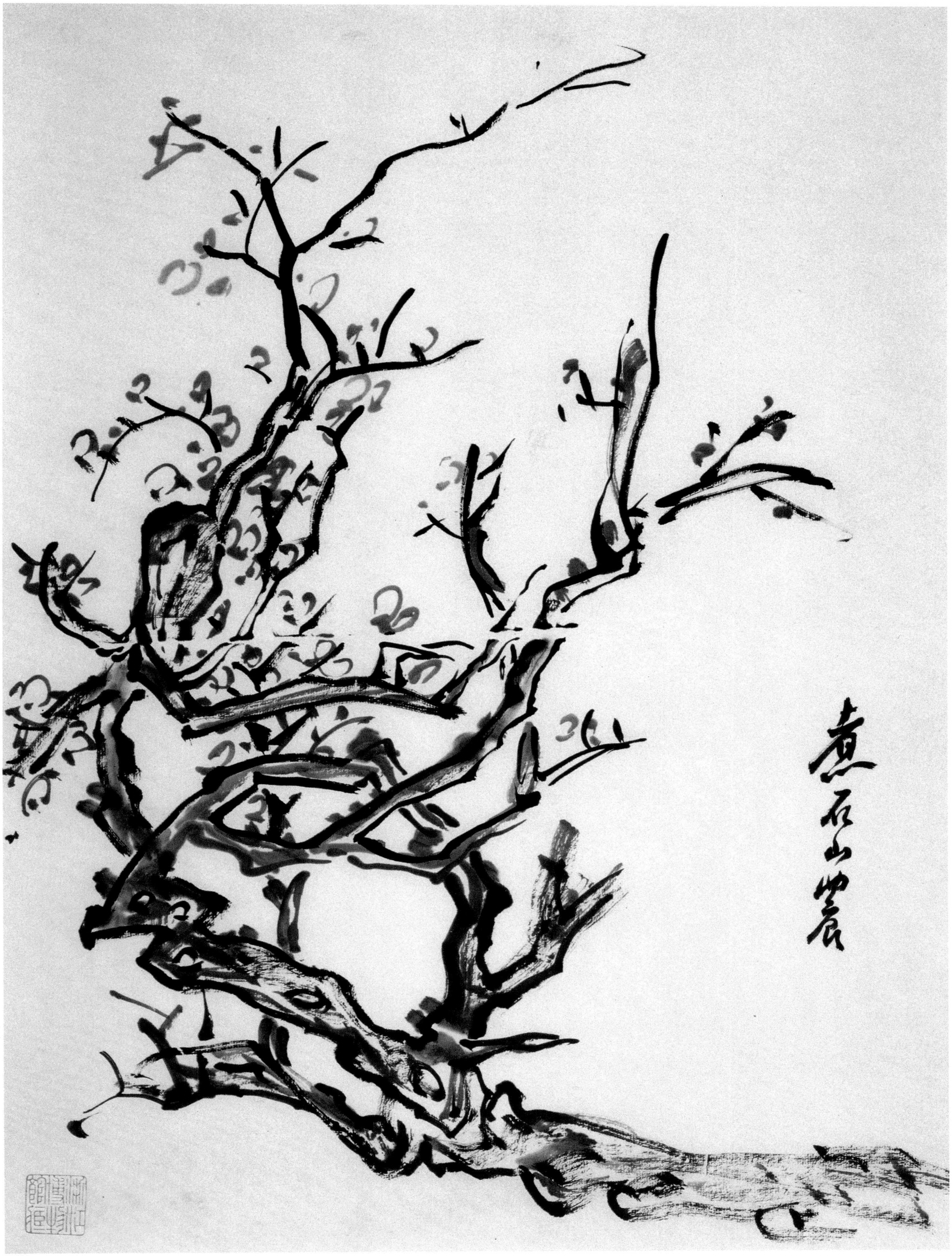

之二

題識：煮石山農

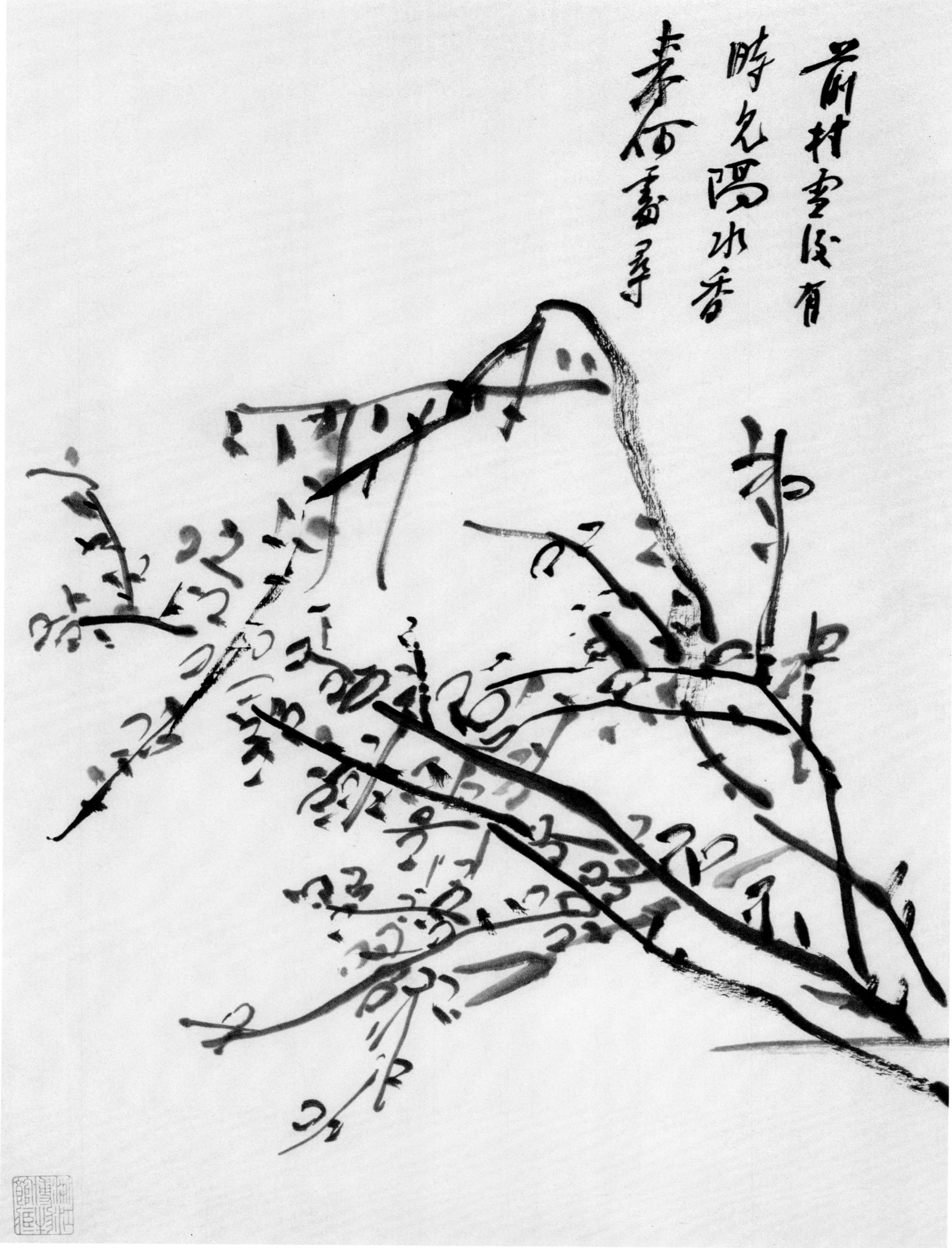

之三　題識：

前村雪後有時見

隔水香來何處尋

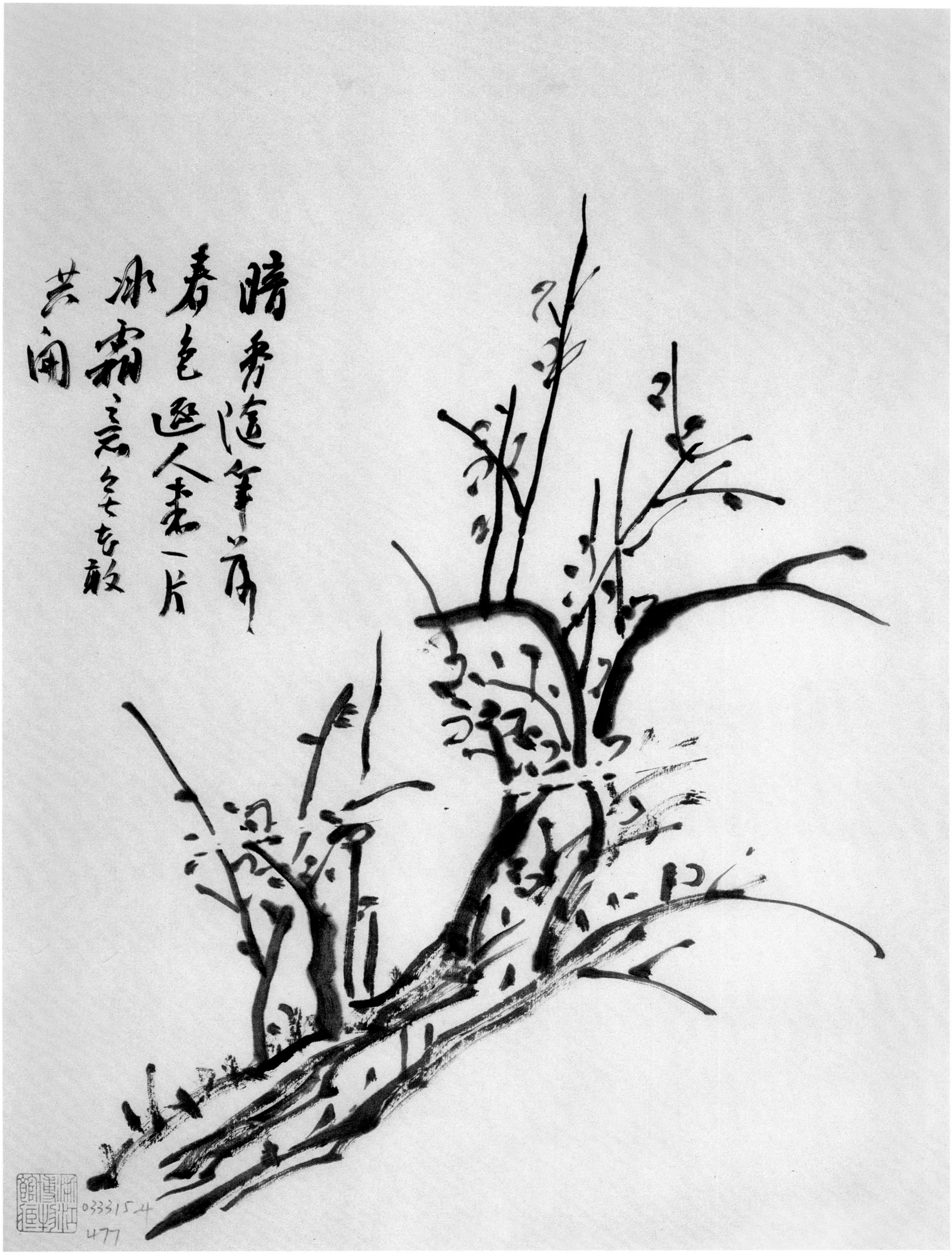

之四

題識：

暗香隨筆落
春色逐人來
一片冰霜意
無花敢共開

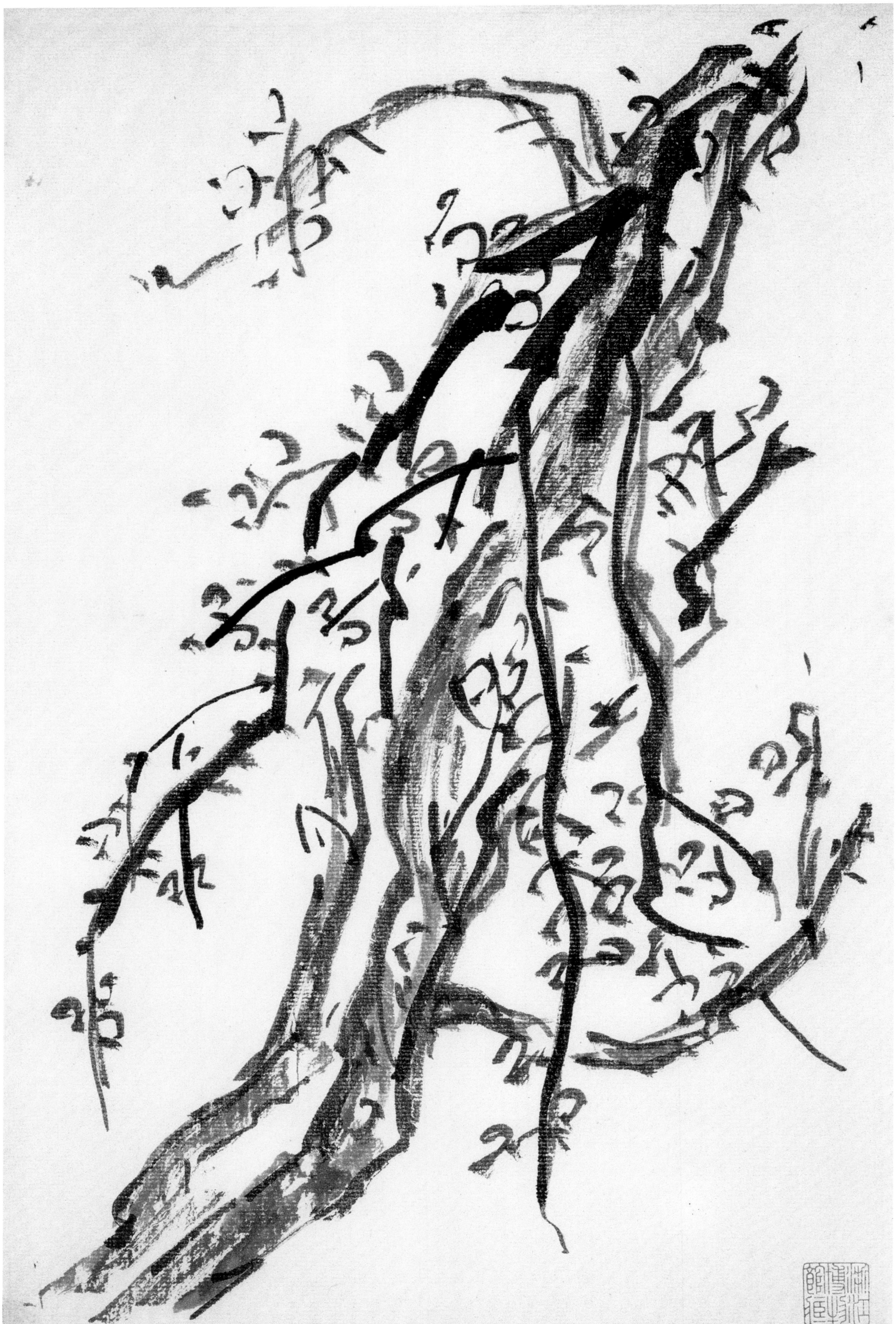

仿古墨梅 兩幅 紙本 縱三九厘米 橫二四厘米 浙江省博物館藏

之一

之二

梅 紙本 縱四一厘米 橫二八厘米 私人藏

題識：水邊初放影離離 誰寫蕭疏竹外枝 曾憶孤山橋上看 雪晴雲淡月斜時

鈐印：黃賓虹 高蹈獨往蕭然自得

梅

紙本　縱四〇厘米　横二七·五厘米　温州市博物館藏　鈐印：黄賓虹

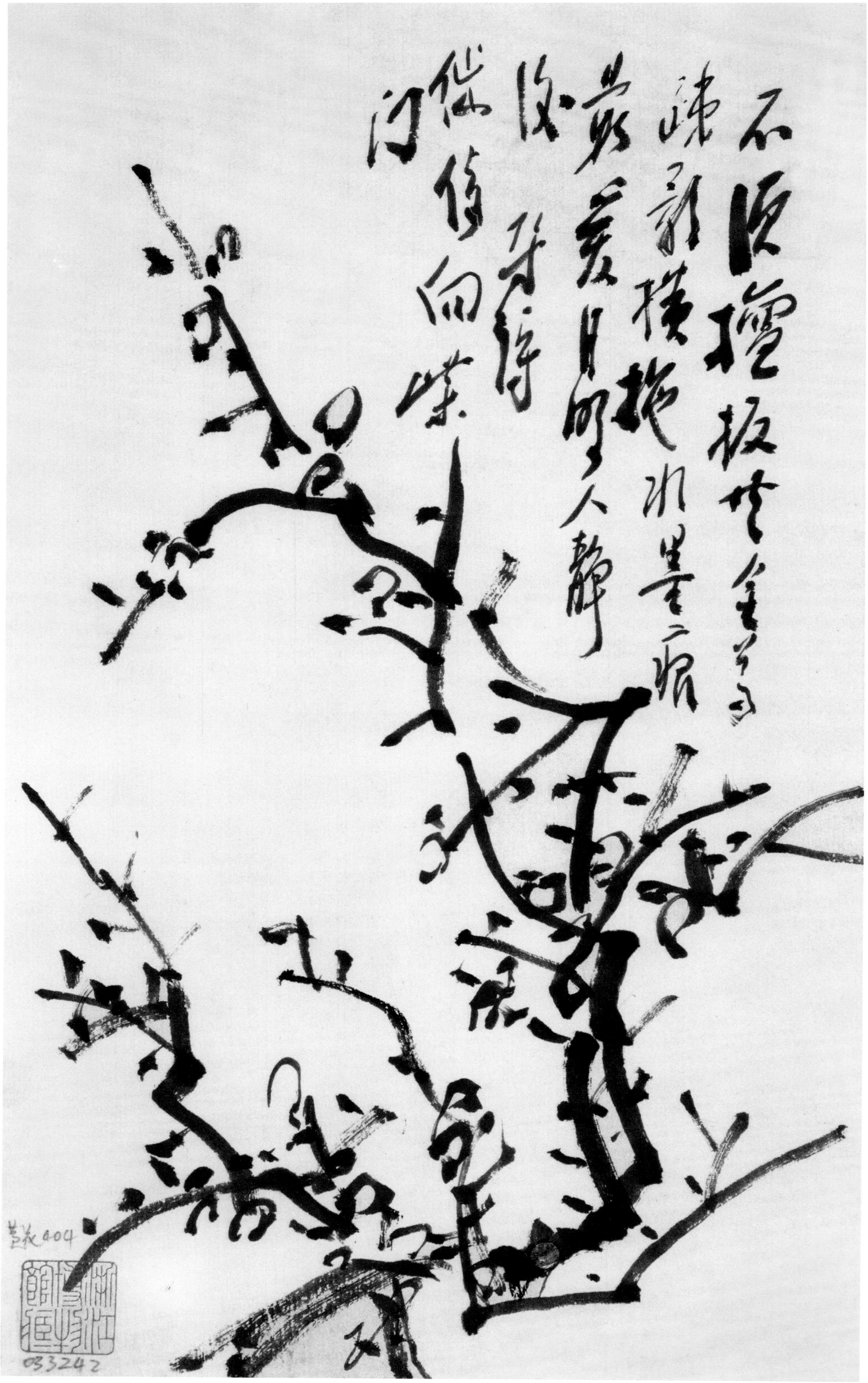

疏影 紙本 縱二八厘米 橫一七厘米 浙江省博物館藏

題識：不須檀板共金尊 疏影橫拖水墨痕 最愛月明人靜後 尋詩徙倚向柴門

梅

紙本　縱三九厘米　橫二四厘米　浙江省博物館藏

楳意石山
楚

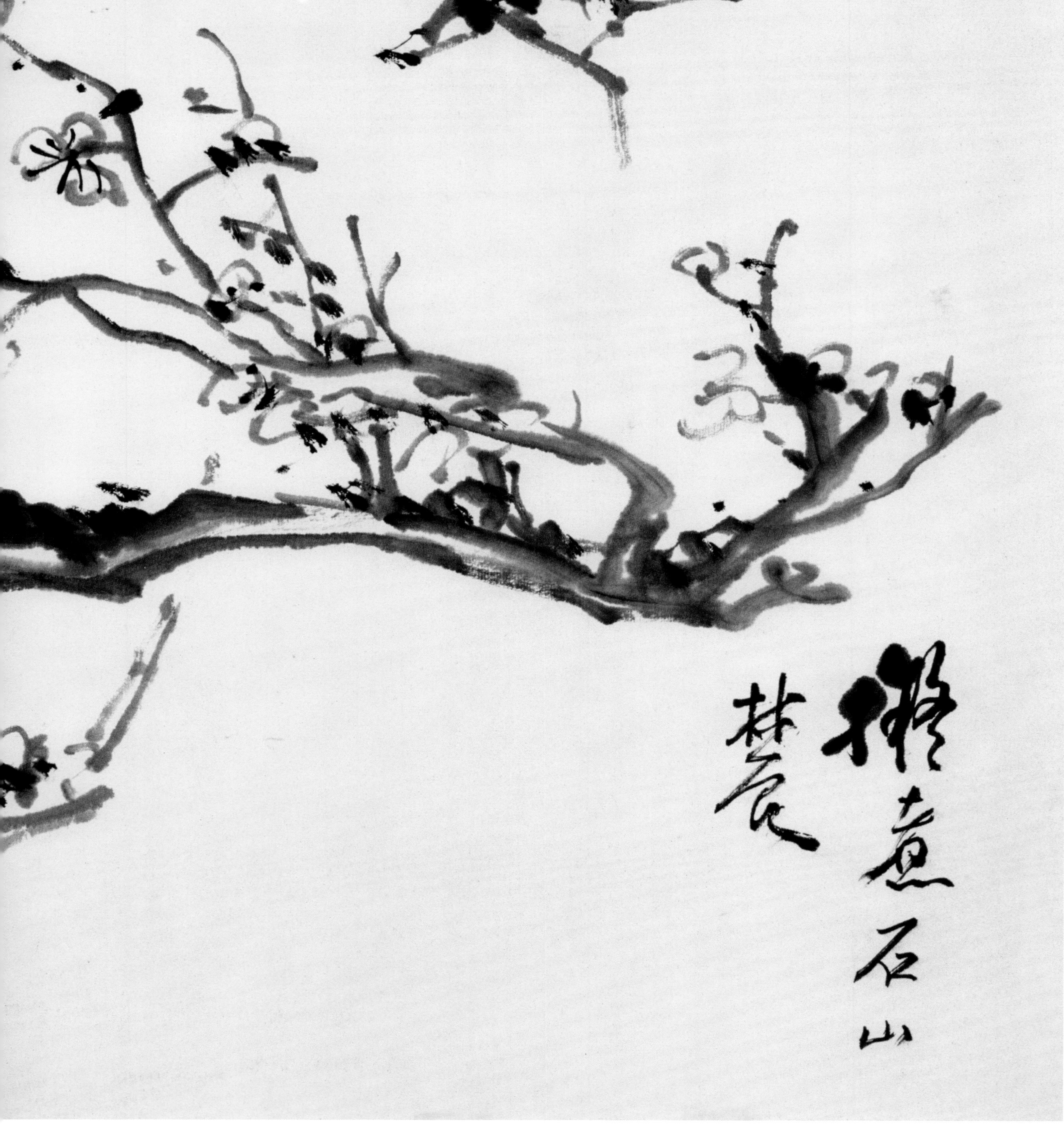

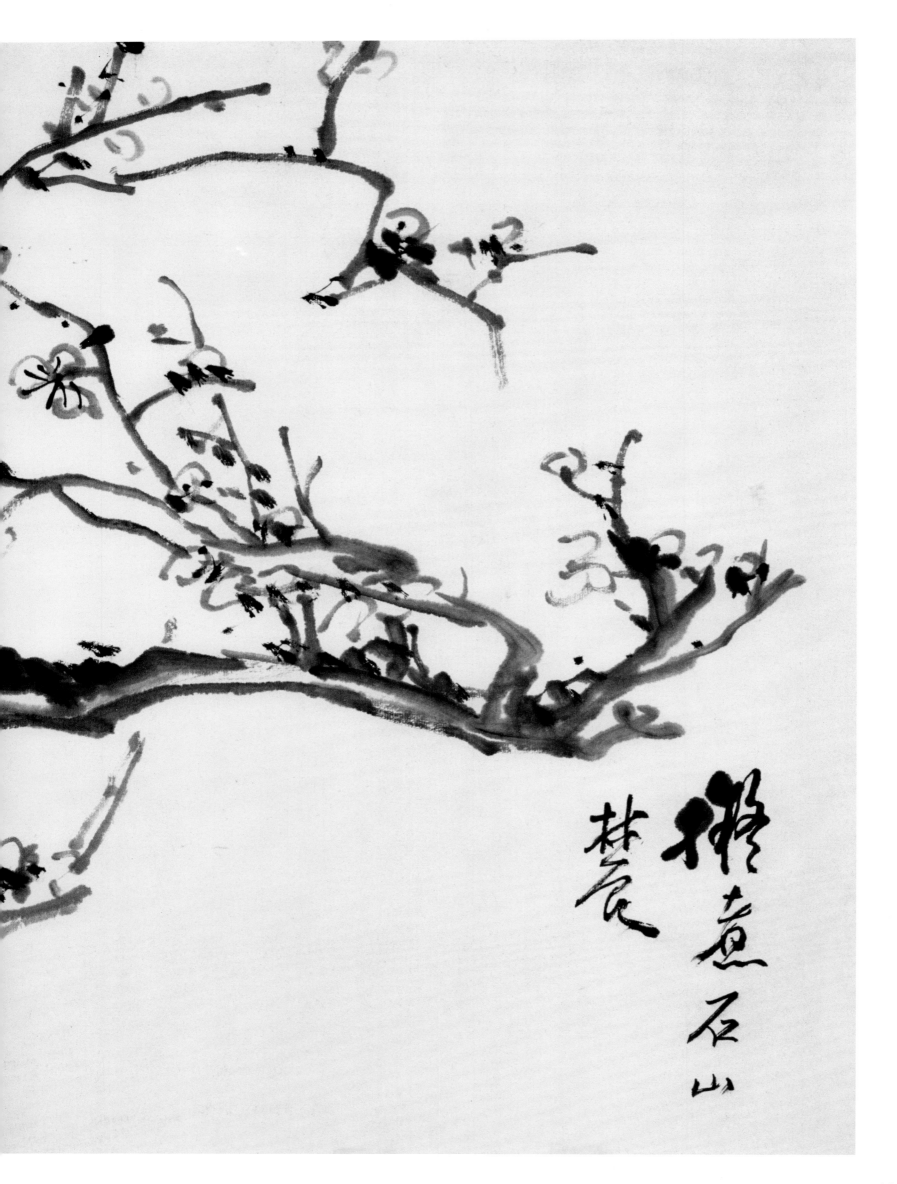

仿王冕梅 紙本 縱二三厘米 橫二七厘米 浙江省博物館藏

題識：擬煮石山農

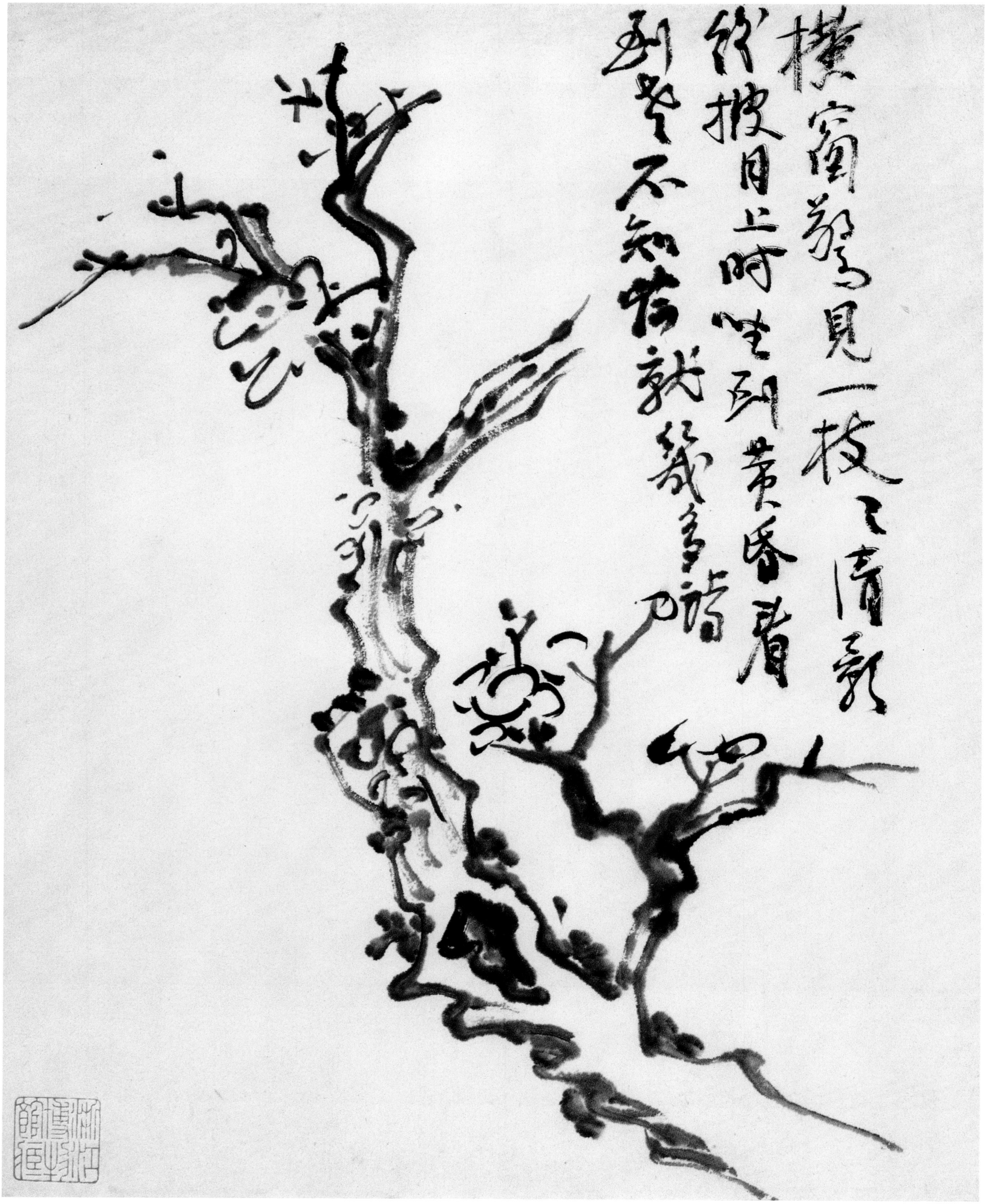

梅 紙本

縱二七·二厘米

横二三厘米

浙江省博物館藏

題識：

横窗驚見一枝枝

清影紛披月上時

坐到黄昏看到老

不知吟就幾多詩

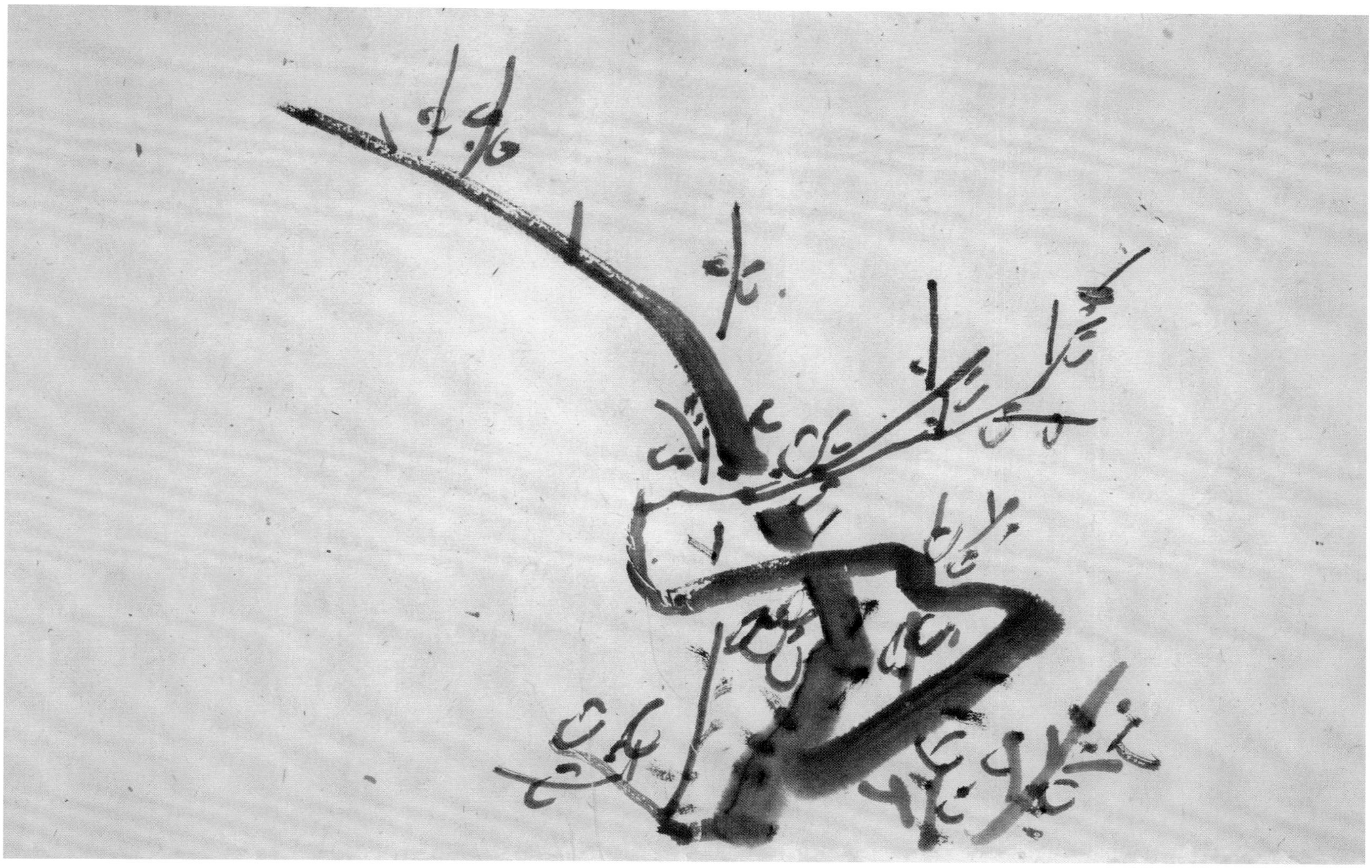

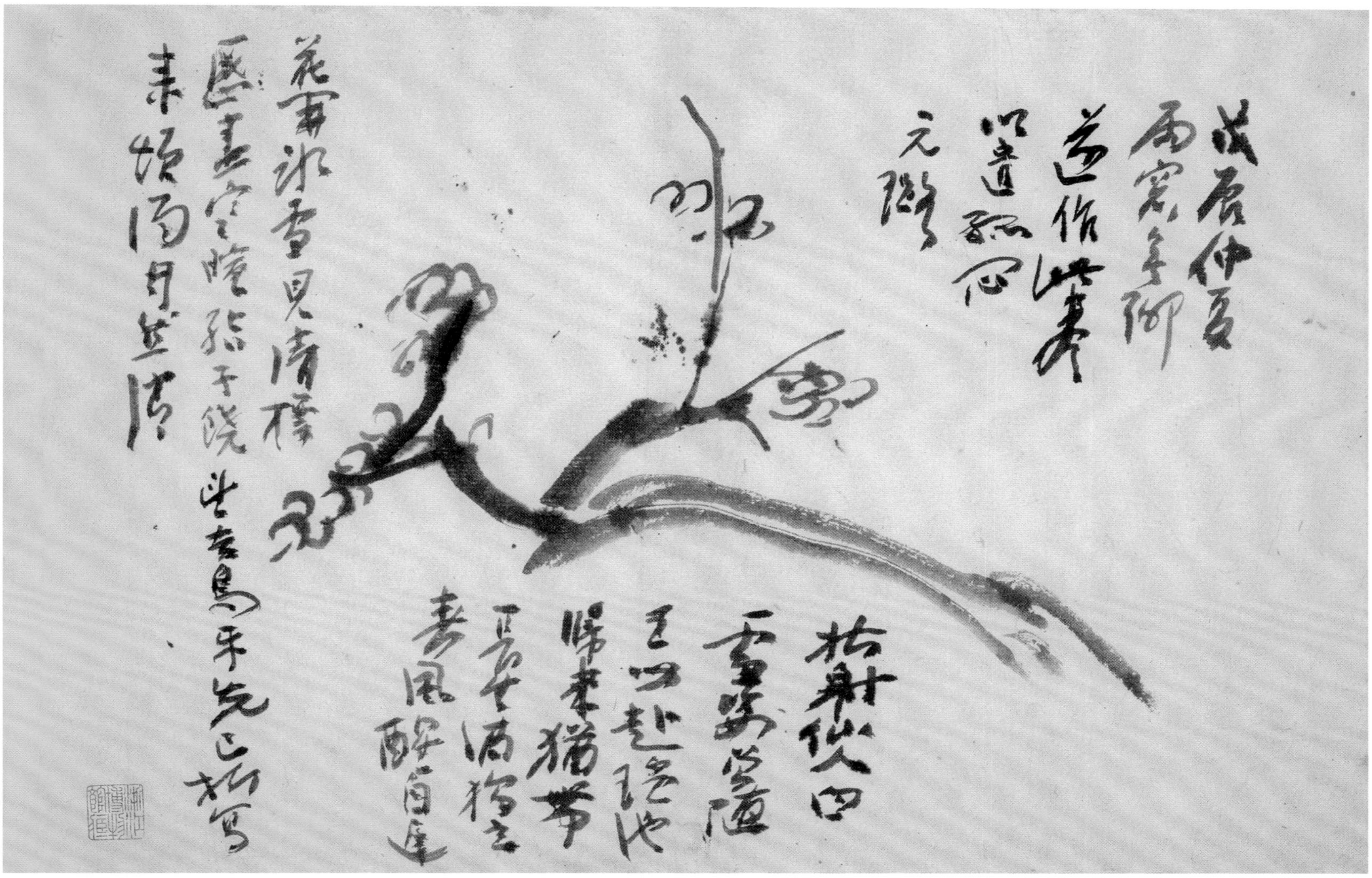

梅　紙本

縱二八・五厘米

橫四五厘米

浙江省博物館藏

仿倪元璐梅　紙本

縱二八厘米

橫四二厘米

浙江省博物館藏

題識：

戊辰仲夏　雨窗無聊

遂作此卷　以遣孤悶

元璐

姑射仙人白雪姿

嘗隨王母赴瑶池

歸來猶帶長生酒

獨立春風醒自遲

花開冰雪見清標

感盡寒暄結子饒

望去烏牙先已折

寫來煩渴井然消

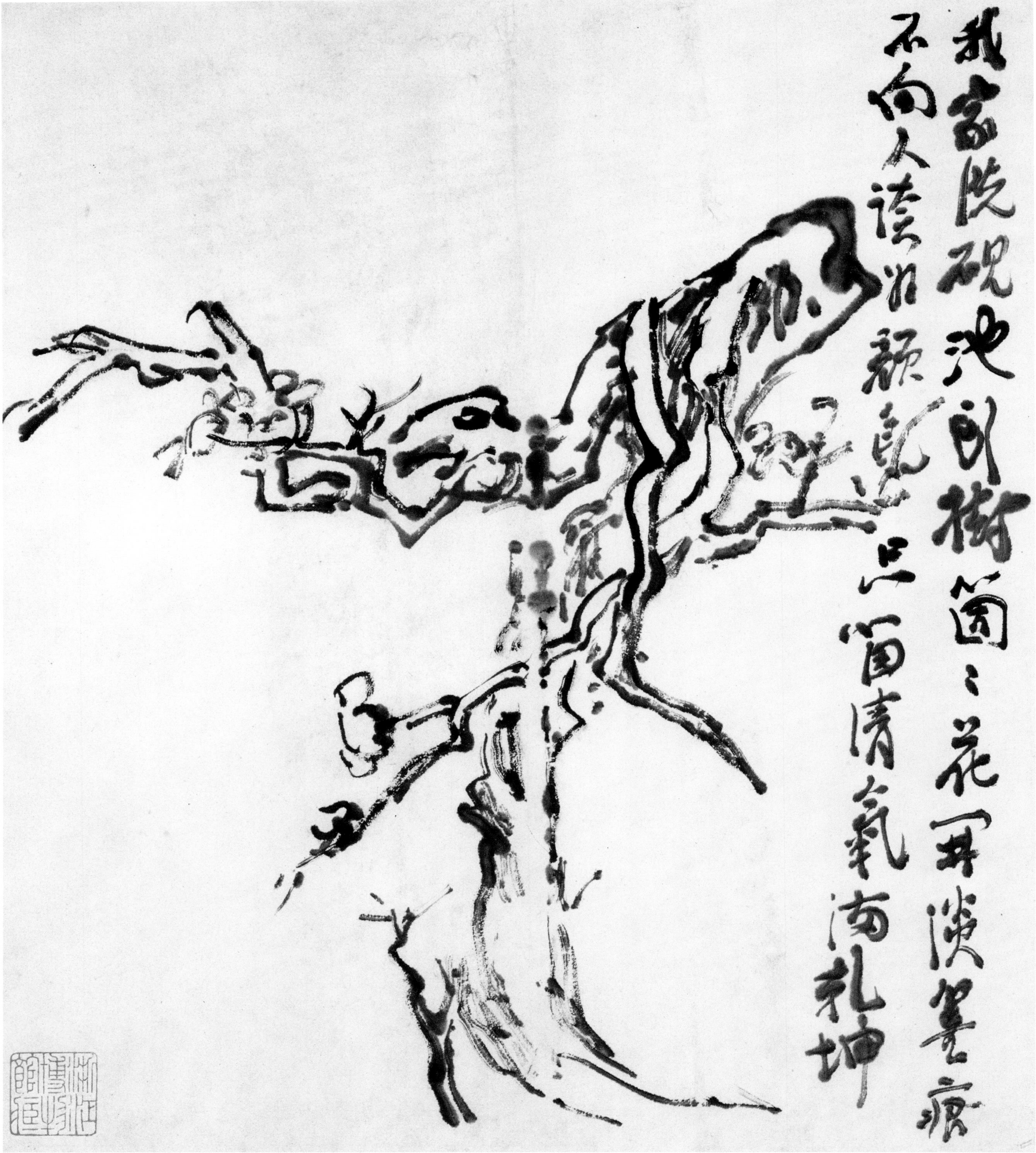

清氣滿乾坤 紙本

縱二六·三厘米 橫二二·七厘米

浙江省博物館藏

題識：

我家洗硯池頭樹

個個花開淡墨痕

不向人誇好顏色

只留清氣滿乾坤

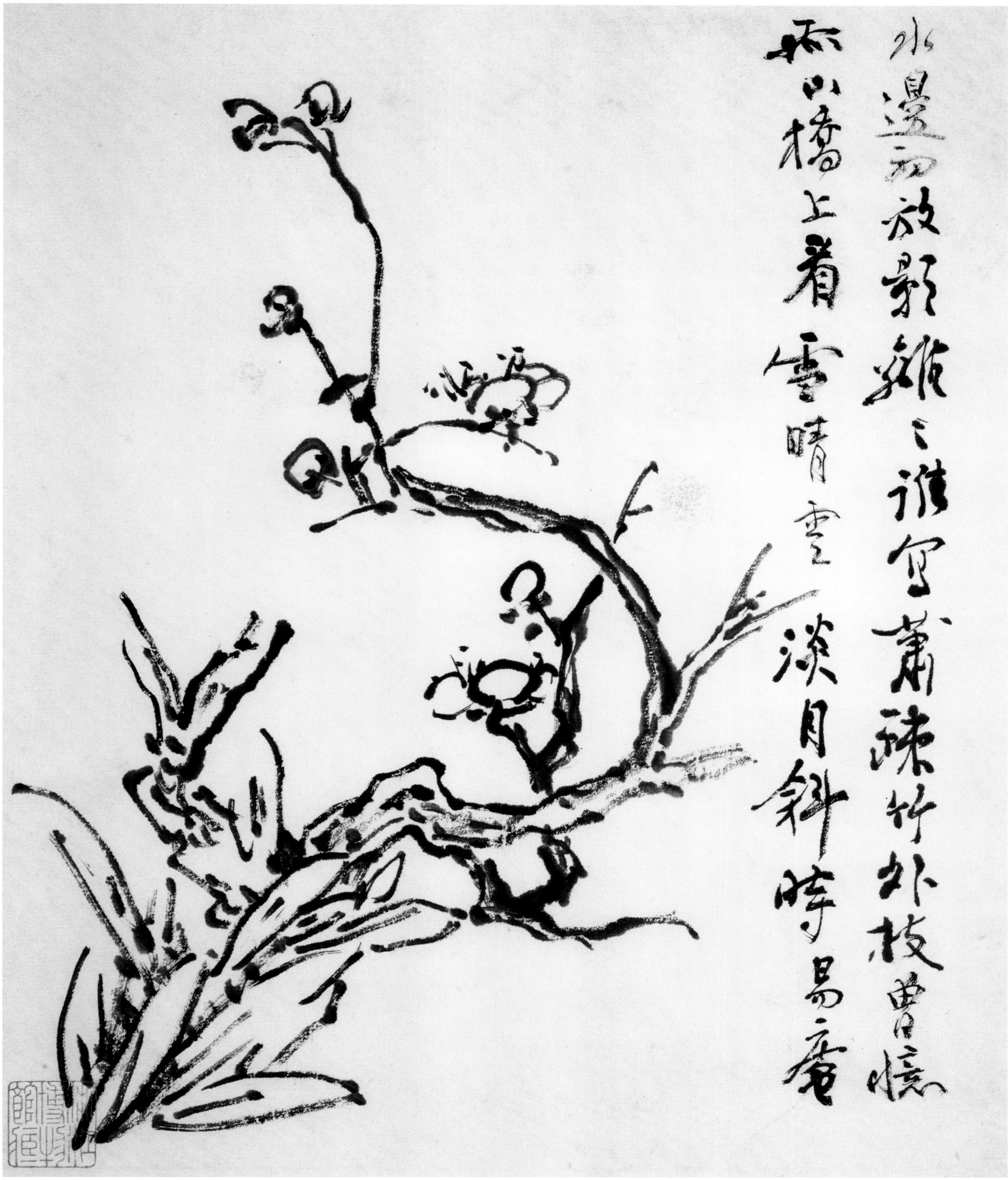
水邊初放影離離誰寫蕭疏竹外枝曾憶
孤山橋上看雪晴雲
淡月斜時易庵

水邊初放　紙本
縱二六・二厘米　橫二一・七厘米
浙江省博物館藏
題識：
水邊初放影離離
誰寫蕭疏竹外枝
曾憶孤山橋上看
雪晴雲淡月斜時　易庵

梅

紙本　縱三五厘米　橫二八厘米　浙江省博物館藏

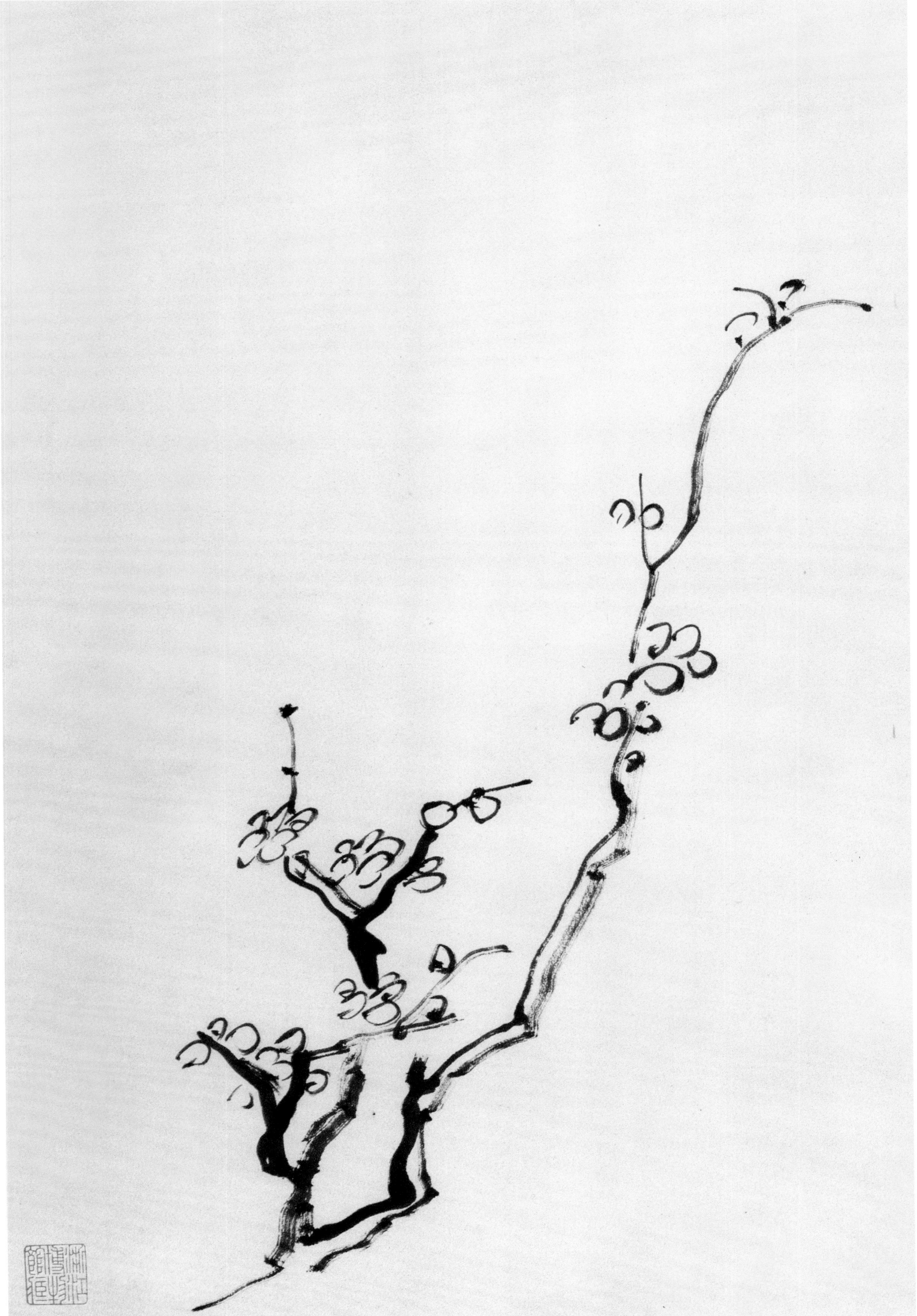

梅

紙本　縱四〇厘米　横三一厘米　浙江省博物館藏

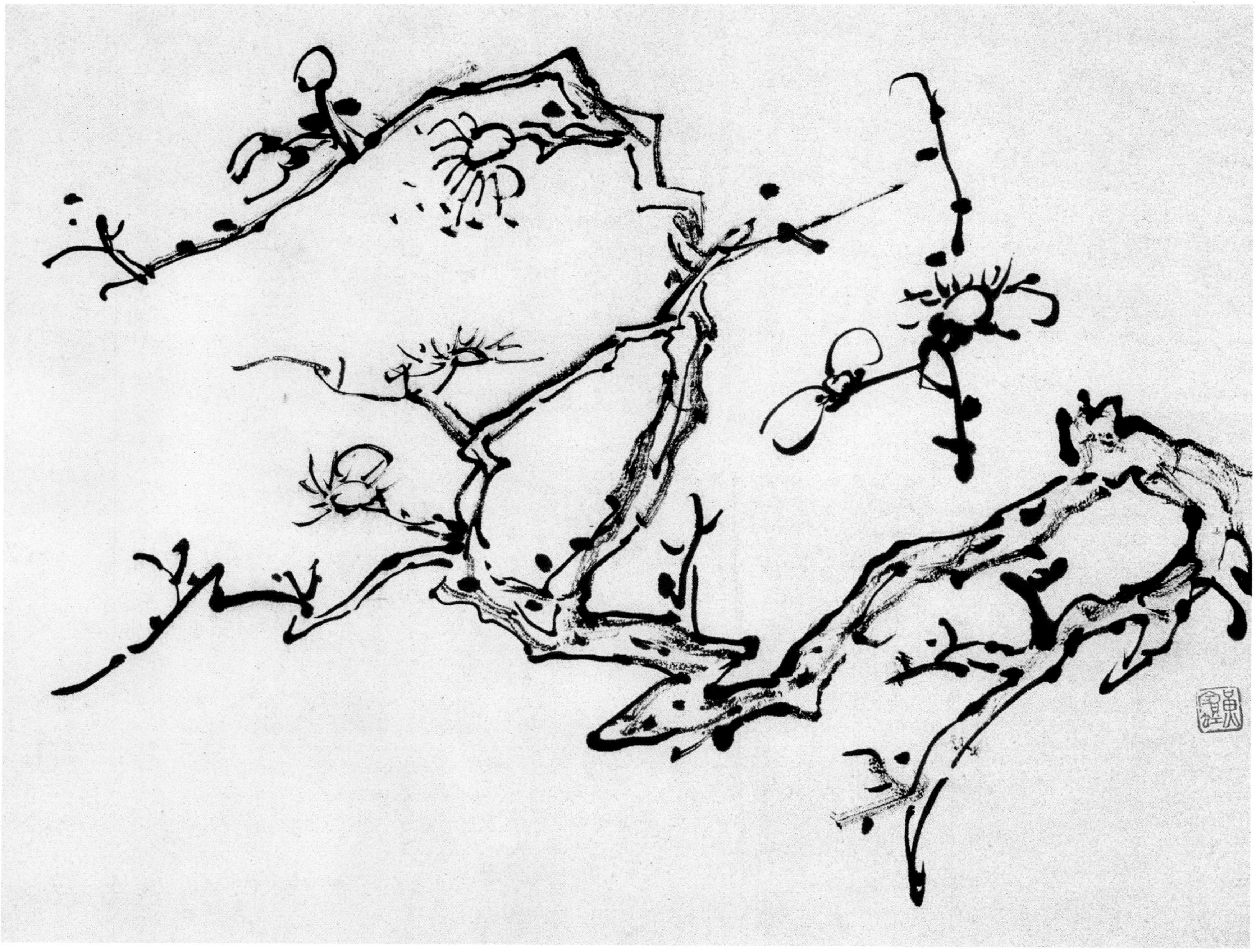

梅 紙本
縱一九·五厘米 橫二五厘米
私人藏
鈐印：黄賓虹

梅石圖　紙本
縱三四厘米　橫三四厘米
浙江省博物館藏

仿陳老蓮墨梅册 十幅 紙本 縱二四·六厘米 橫二九·二厘米 浙江省博物館藏

之一 題識：舉頭看桃樹 低頭寫秋華 山居吾已樂 不復羨栖鵶 山居

峯頭着桃樹
低頭寫秋扇
以之傍毛上莫之示
後王次梅鵝 山老

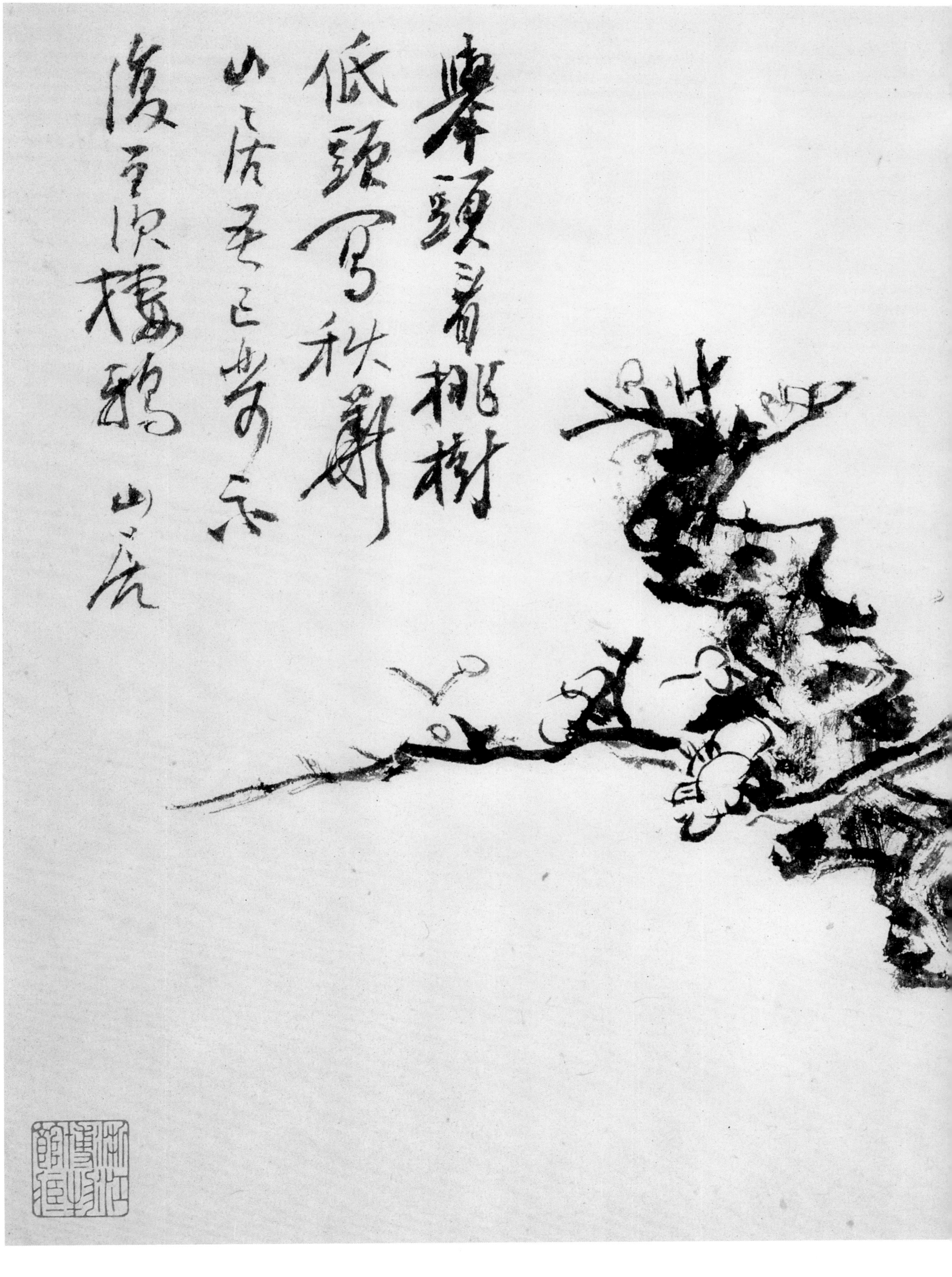

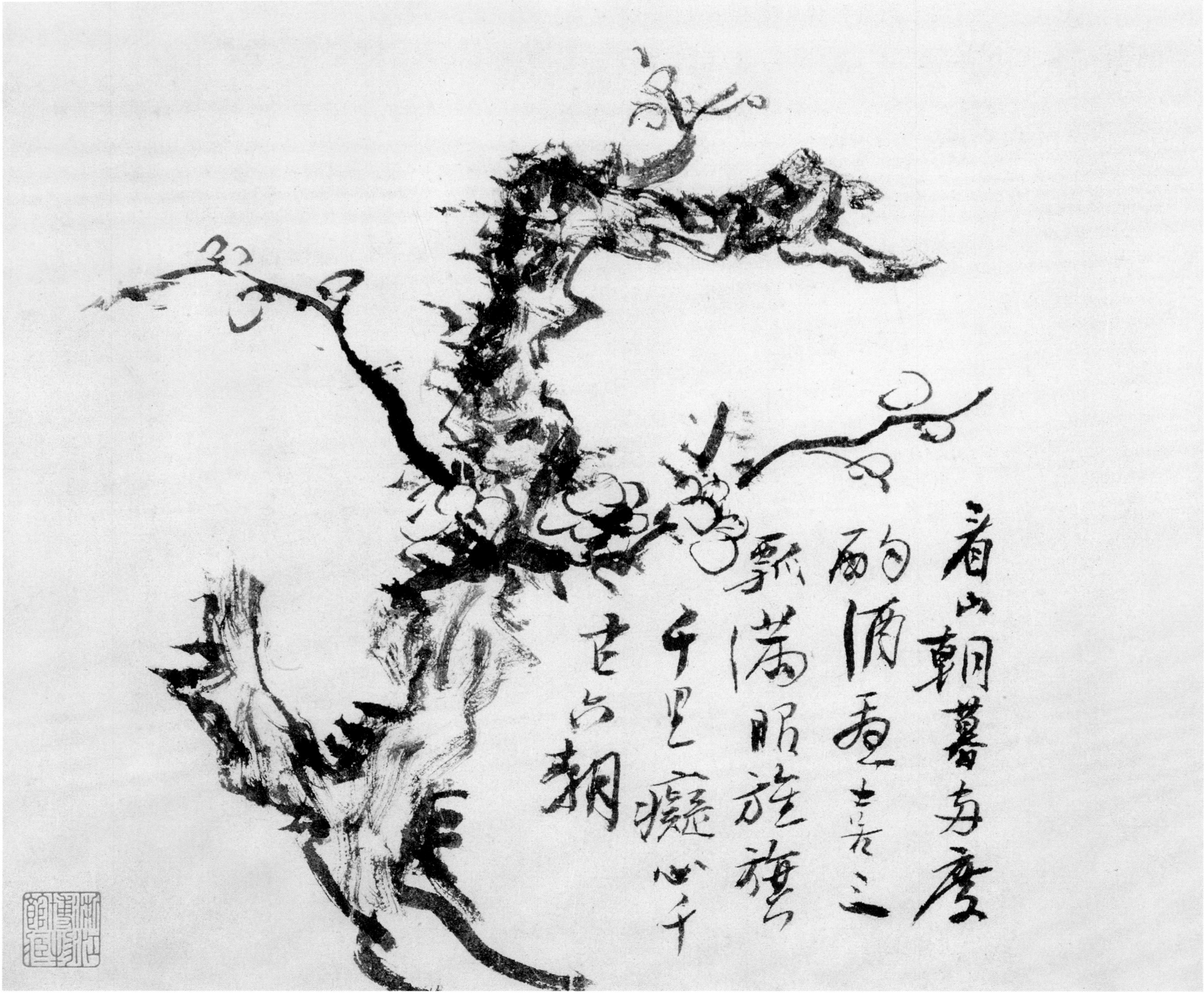

之二 題識：
看山朝暮兩度 酌酒憂喜三瓢
滿眼旌旗千里 痴心千古六朝

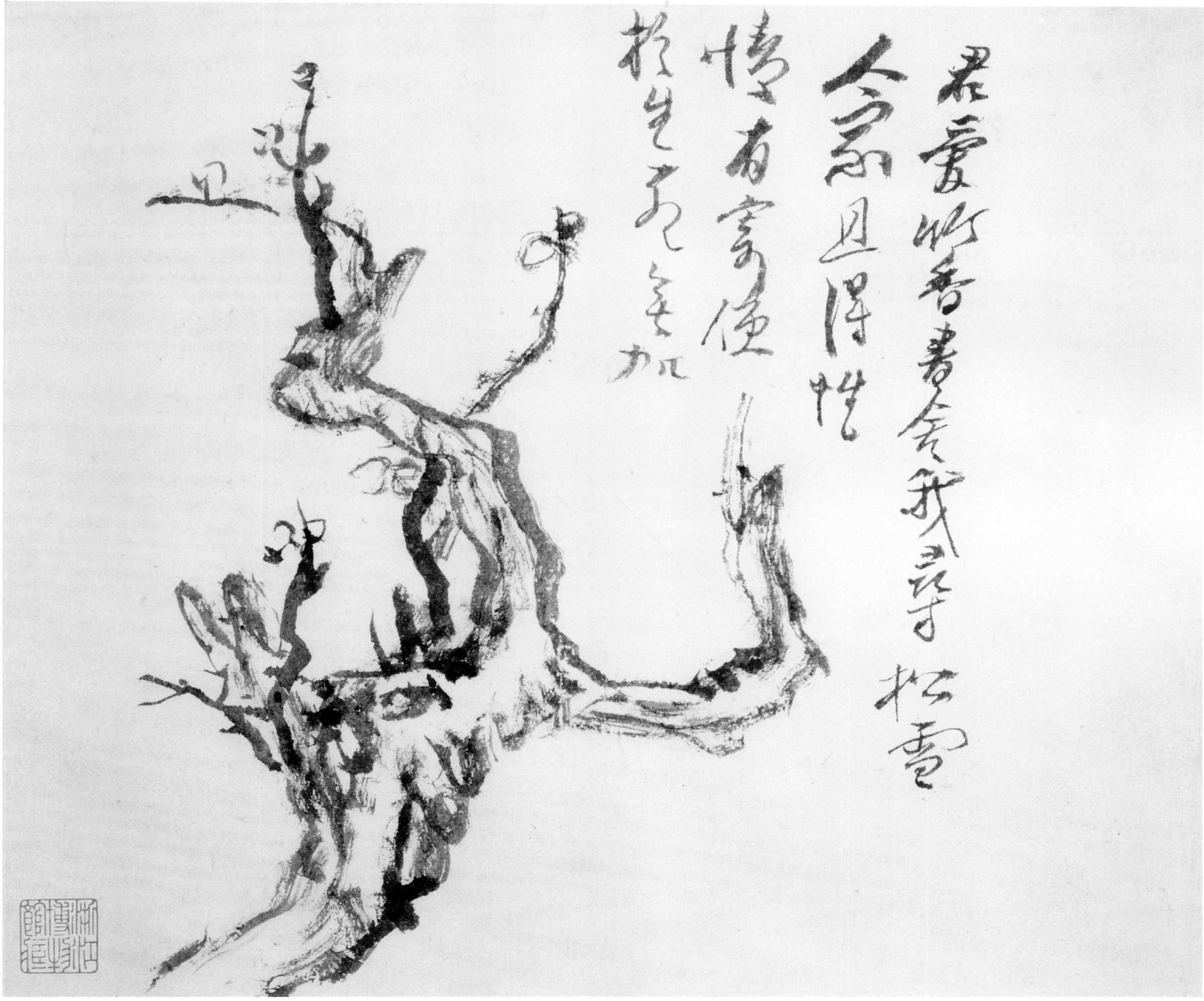

之三　題識：
君愛竹香書舍　我尋松雪人家
且得性情有寄　便于生死無加

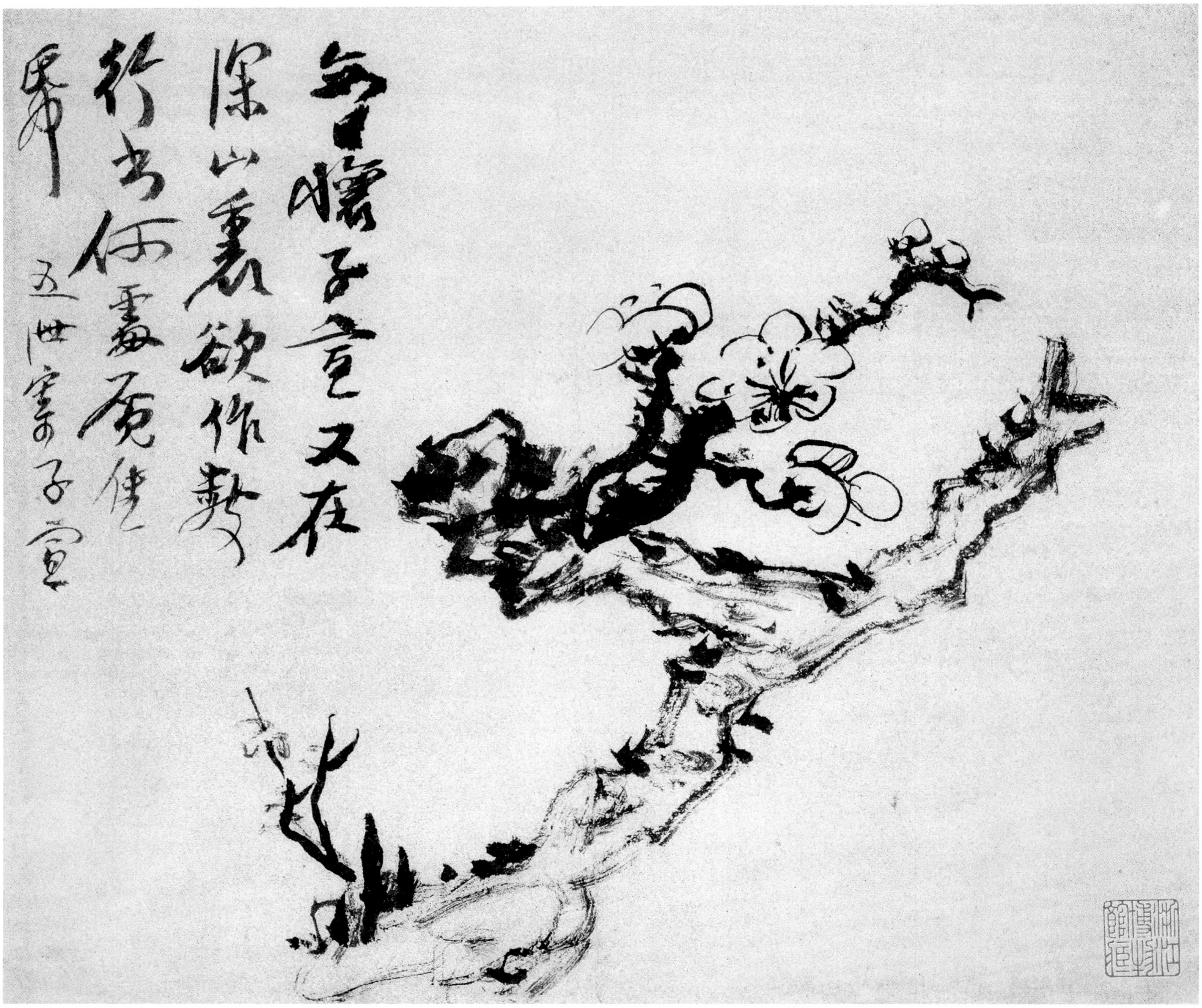

之四　題識：
每日懷子宣　又在深山裏
欲作數行書　何處覓佳紙
五泄寄子宣

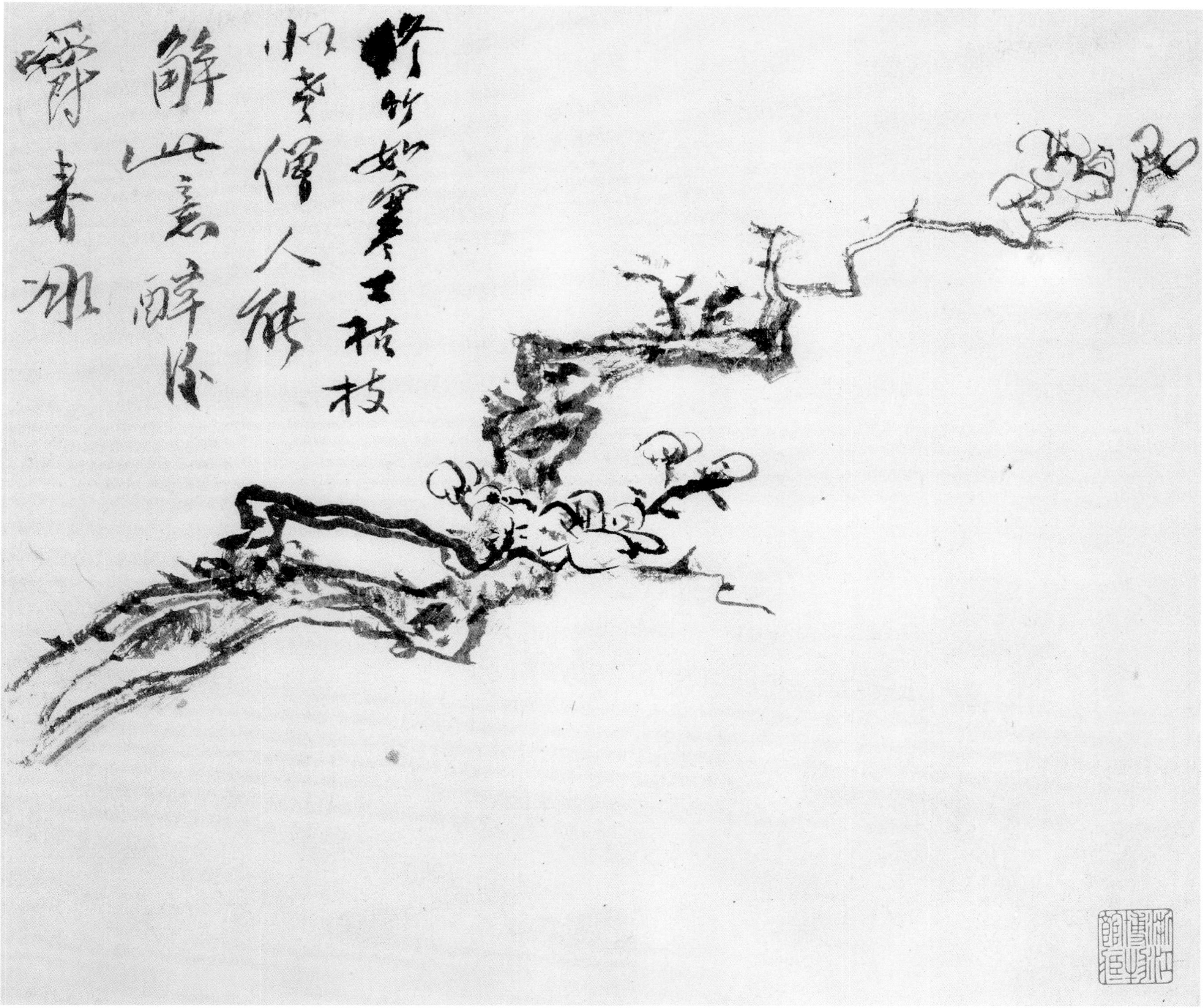

之五　題識：

修竹如寒士　枯枝似老僧

人能解此意　醉後嚼春冰

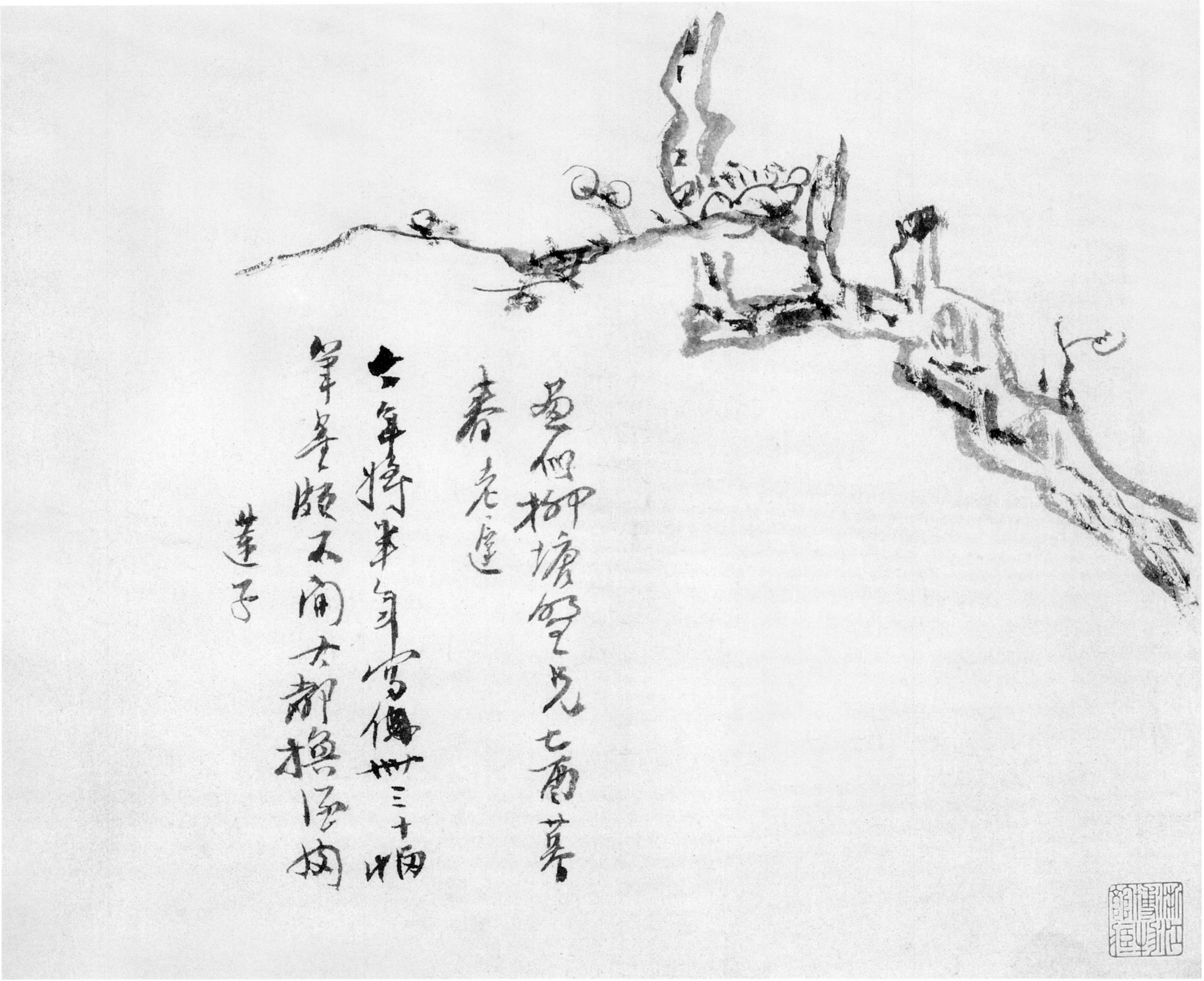

之六　題識：
畫似柳塘盟兄　乙酉暮春　老遲　今年將半年
寫佛册三十幅　筆墨頗不閑　大都換酒肉　蓮子

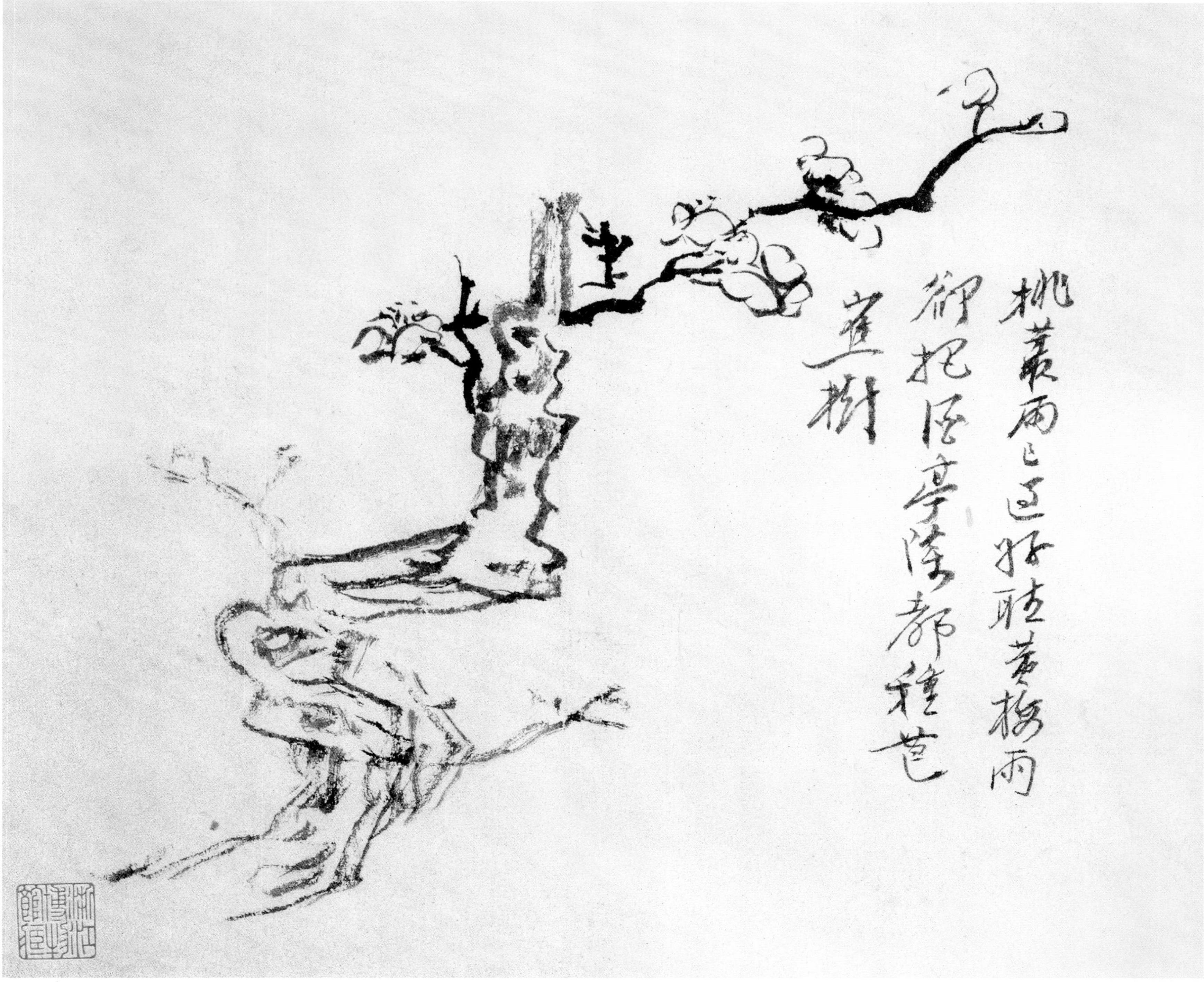

之七　題識：
桃叢雨已過　好聽黃梅雨
却把酒亭除　都種芭蕉樹

之八　題識：家人莫釀酒　予不慶新年　怕將新日月　來照舊山川　悔遲

佳人莫釀酒亭不
慶新年一帕將
新日月東與舊
川临逢

43

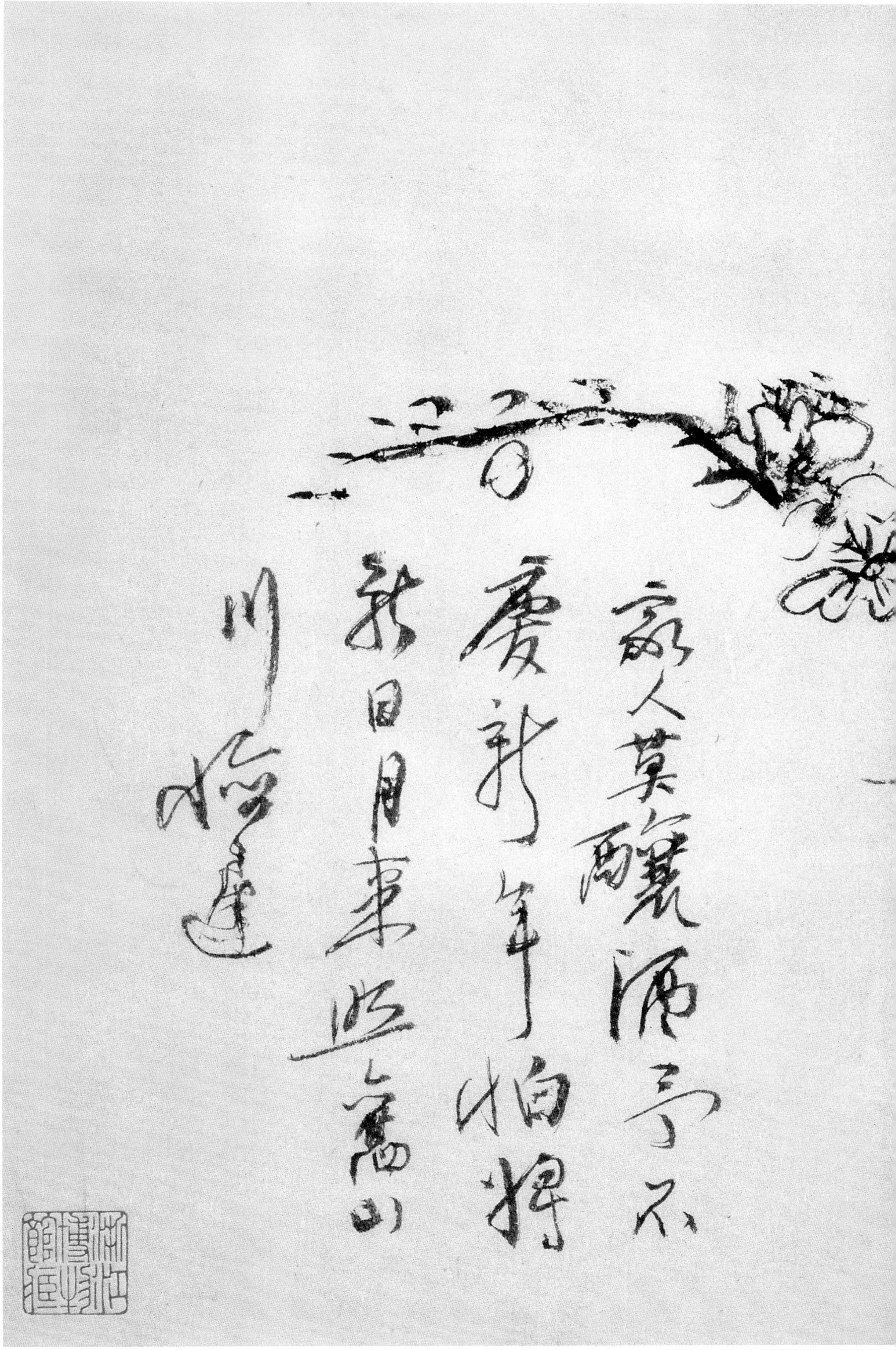

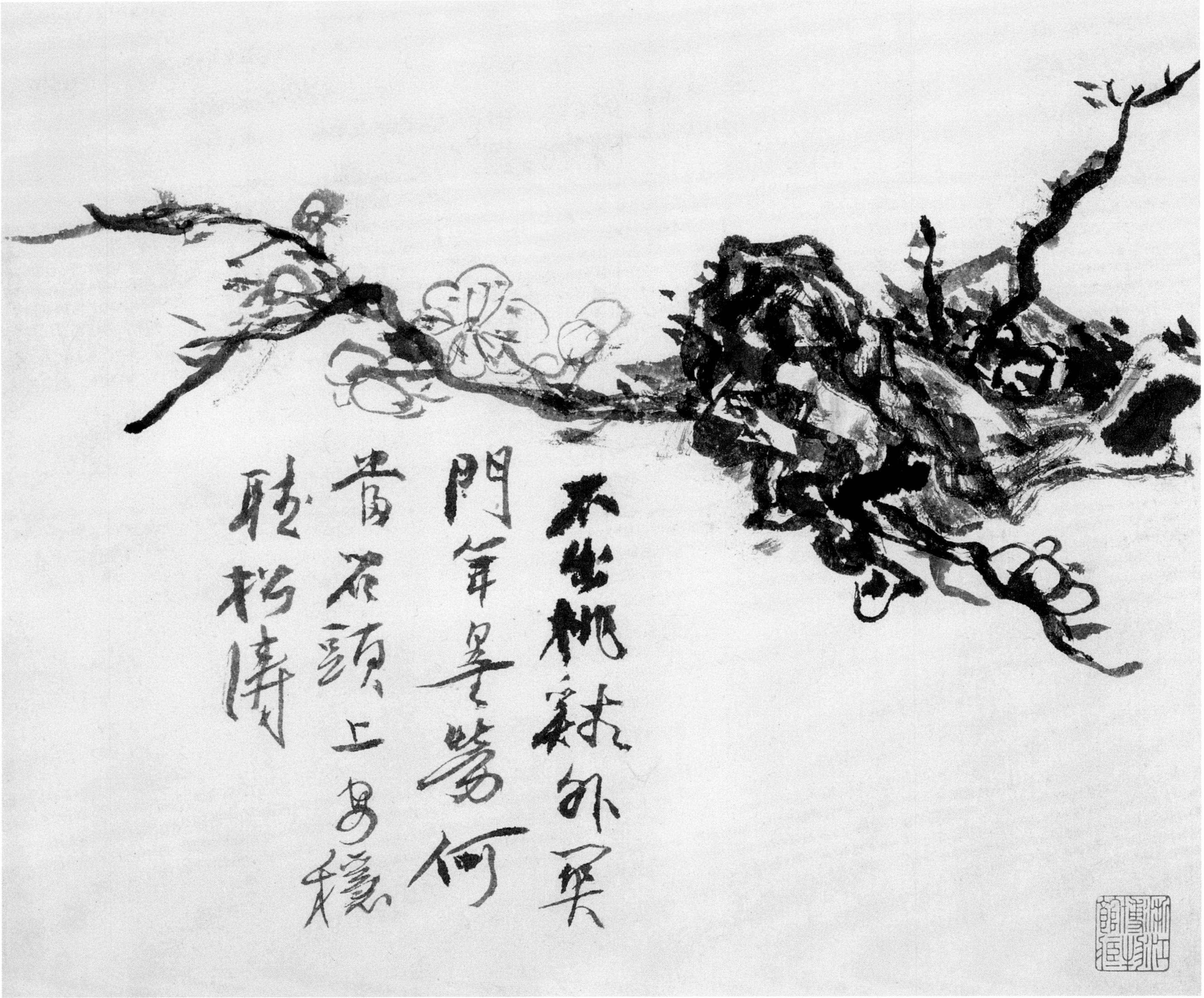

之九　題識：
不出桃溪外　關門筆墨勞
何當石頭上　安穩聽松濤

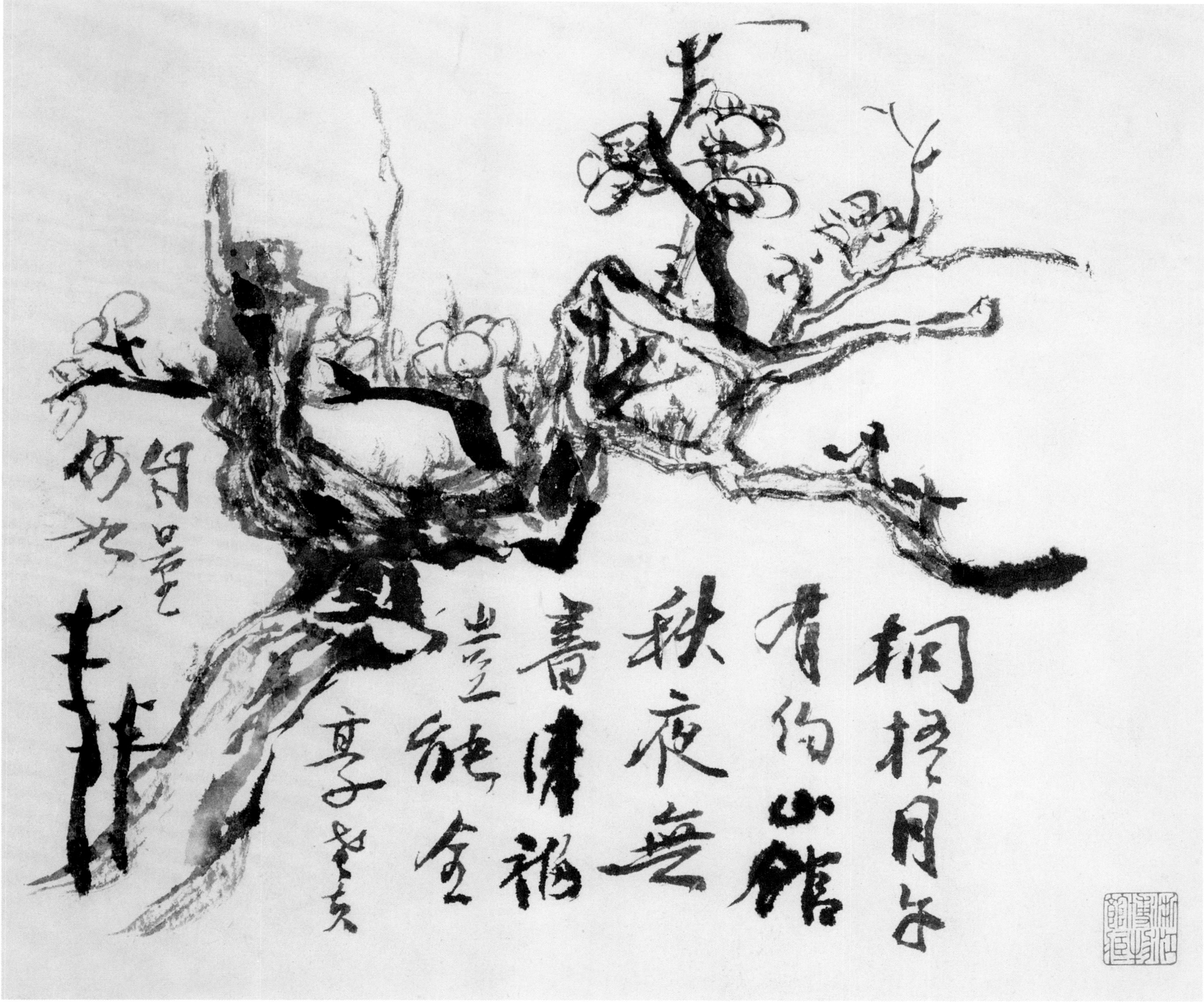

之十　題識：
桐梧月午有約　山館秋夜無書
清福豈能全享　老夫自量何如

擬石室老人竹　紙本　縱一一〇·四厘米　橫三二厘米　浙江省博物館藏

題識：擬石室老人筆　仲坰先生屬　矼叟

鈐印：黃賓虹

竹 紙本 縱七二·五厘米 橫三五厘米 浙江省博物館藏

鈐印：黃賓虹

仿古墨竹 十七幅 紙本 縱三〇厘米 橫四五厘米 浙江省博物館藏

之一

之二　題識：雨近蛟龍起　風生斐翠寒　但存清白在　日日是平安

之三

之四

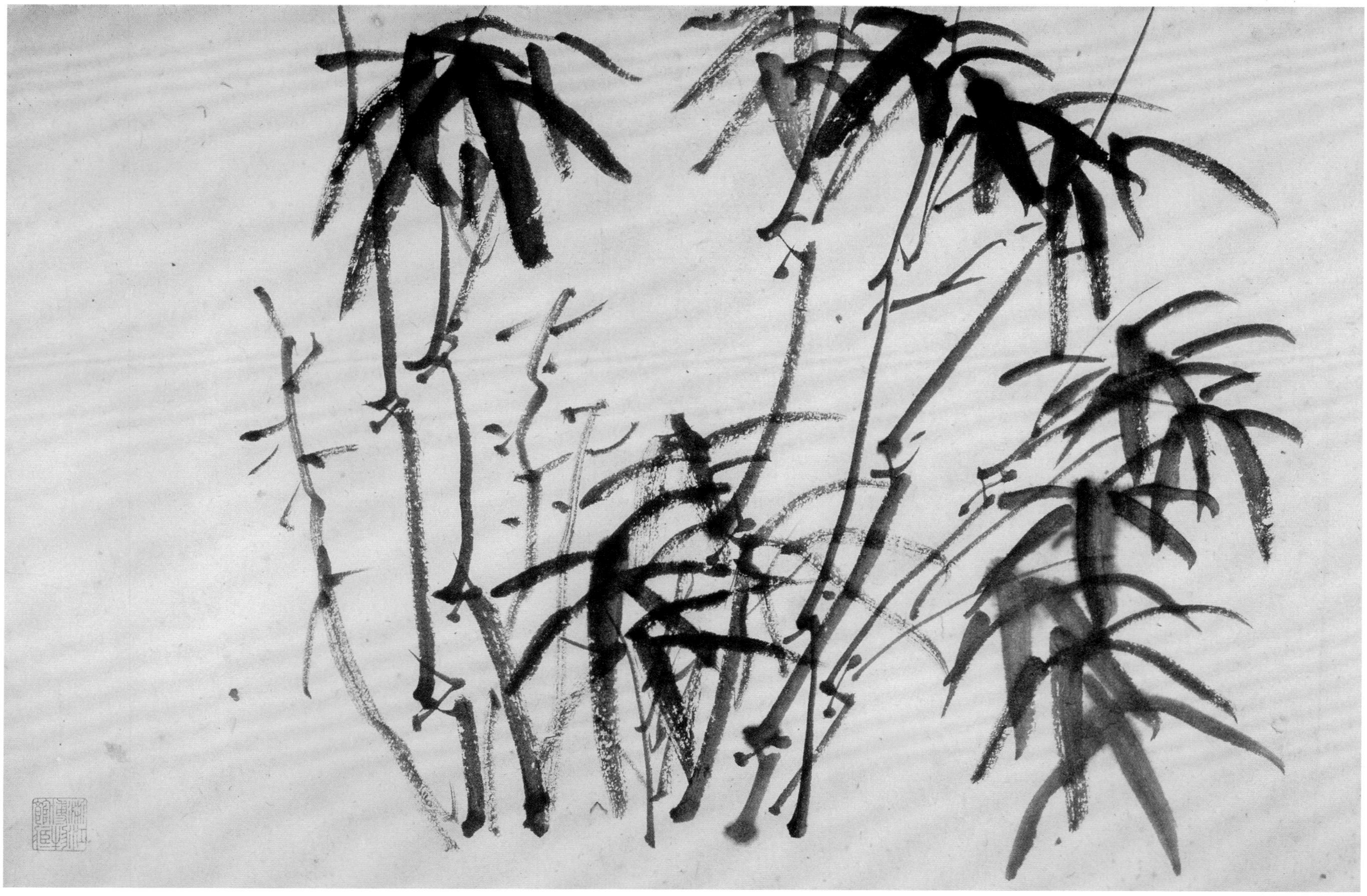

之五

之六

之七

之八

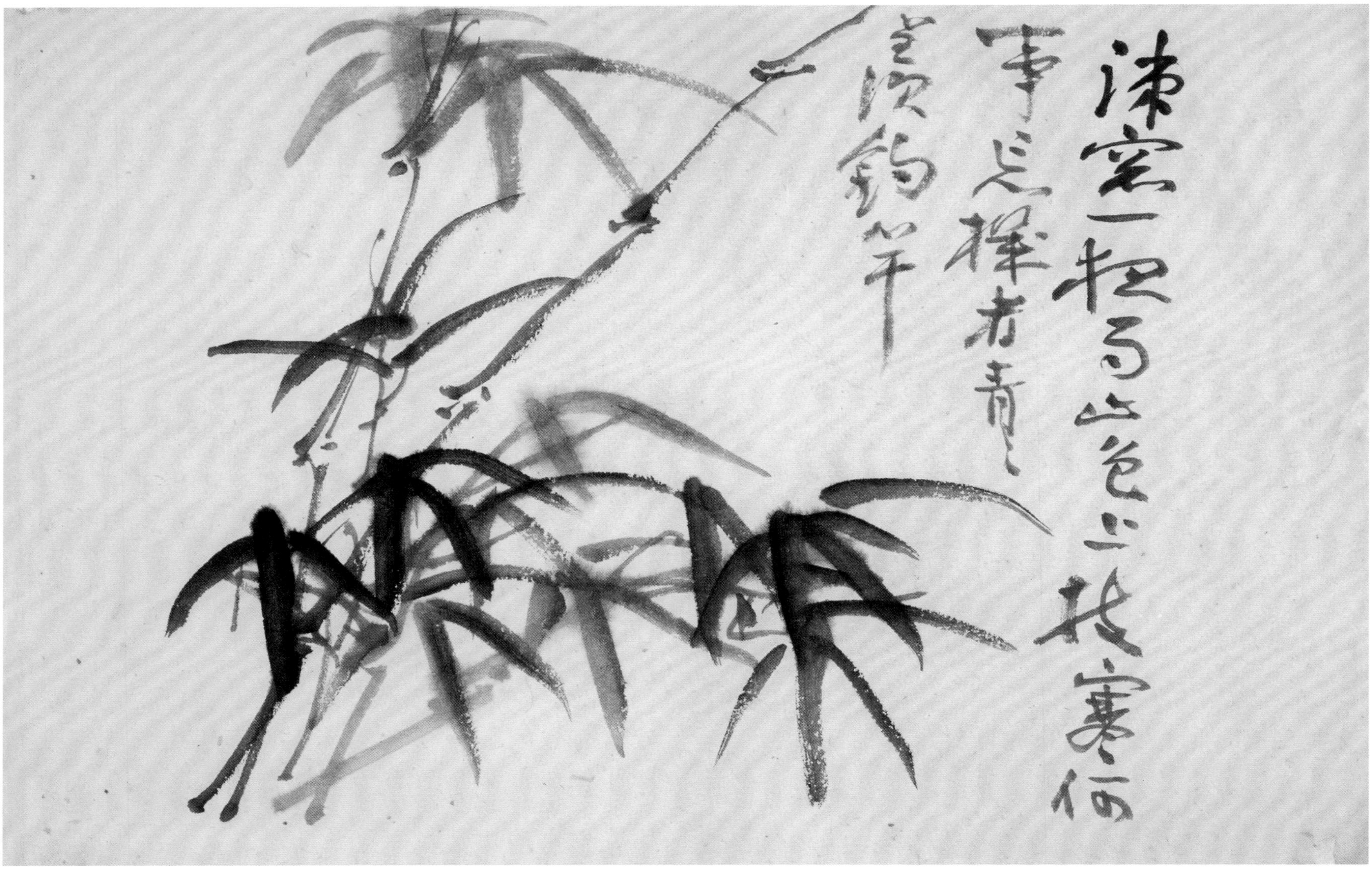

之九　題識：疏窗一夜雨　山色上枝寒　何事忘機者　青青羨釣竿

之十

故園諸老輩
知我尚當狂
孤竹元秋氣
自甘心相悅
滔湘客

58

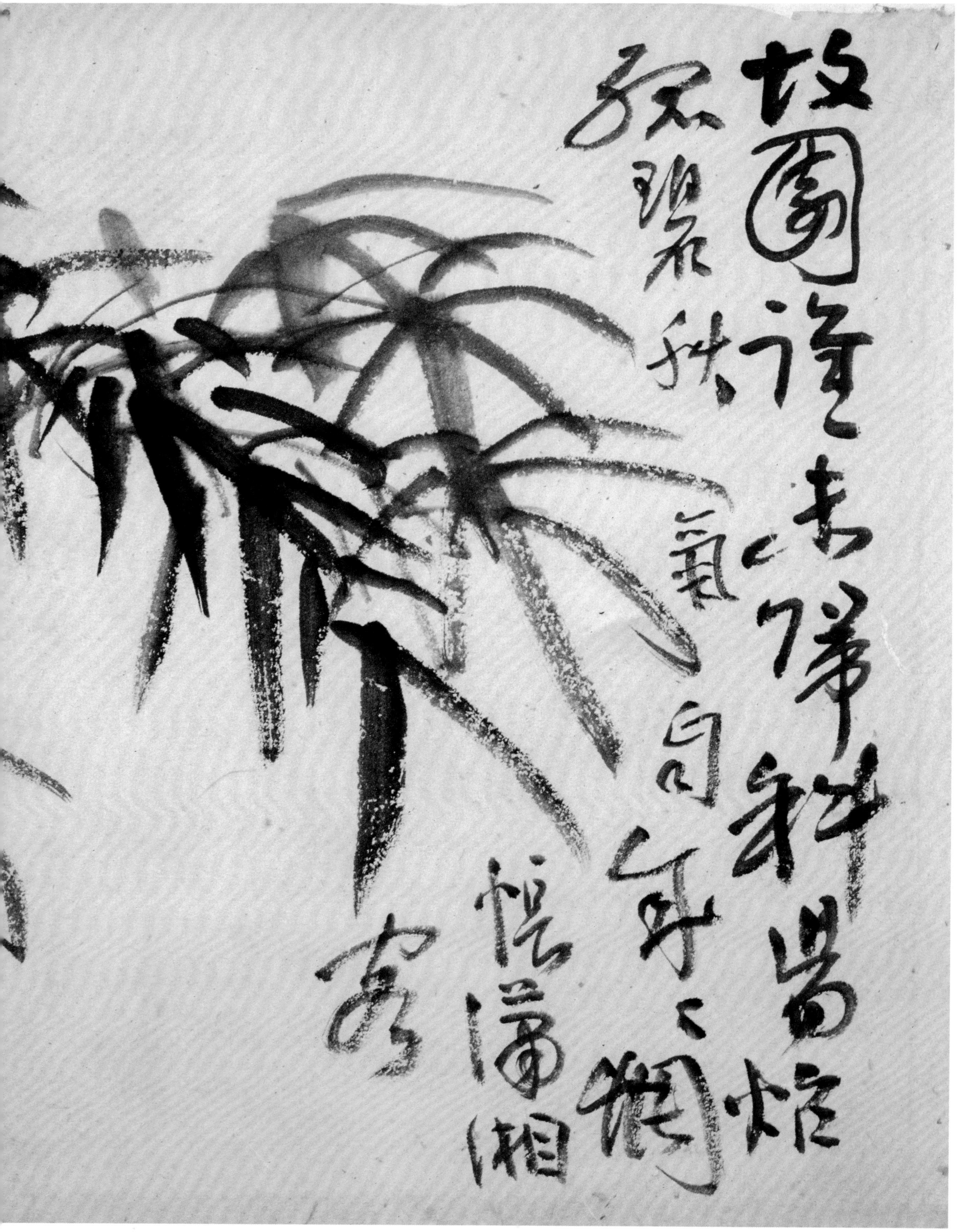

之十一　題識：故園誰未歸　斜陽照孤碧　秋氣自年年　惆悵瀟湘客

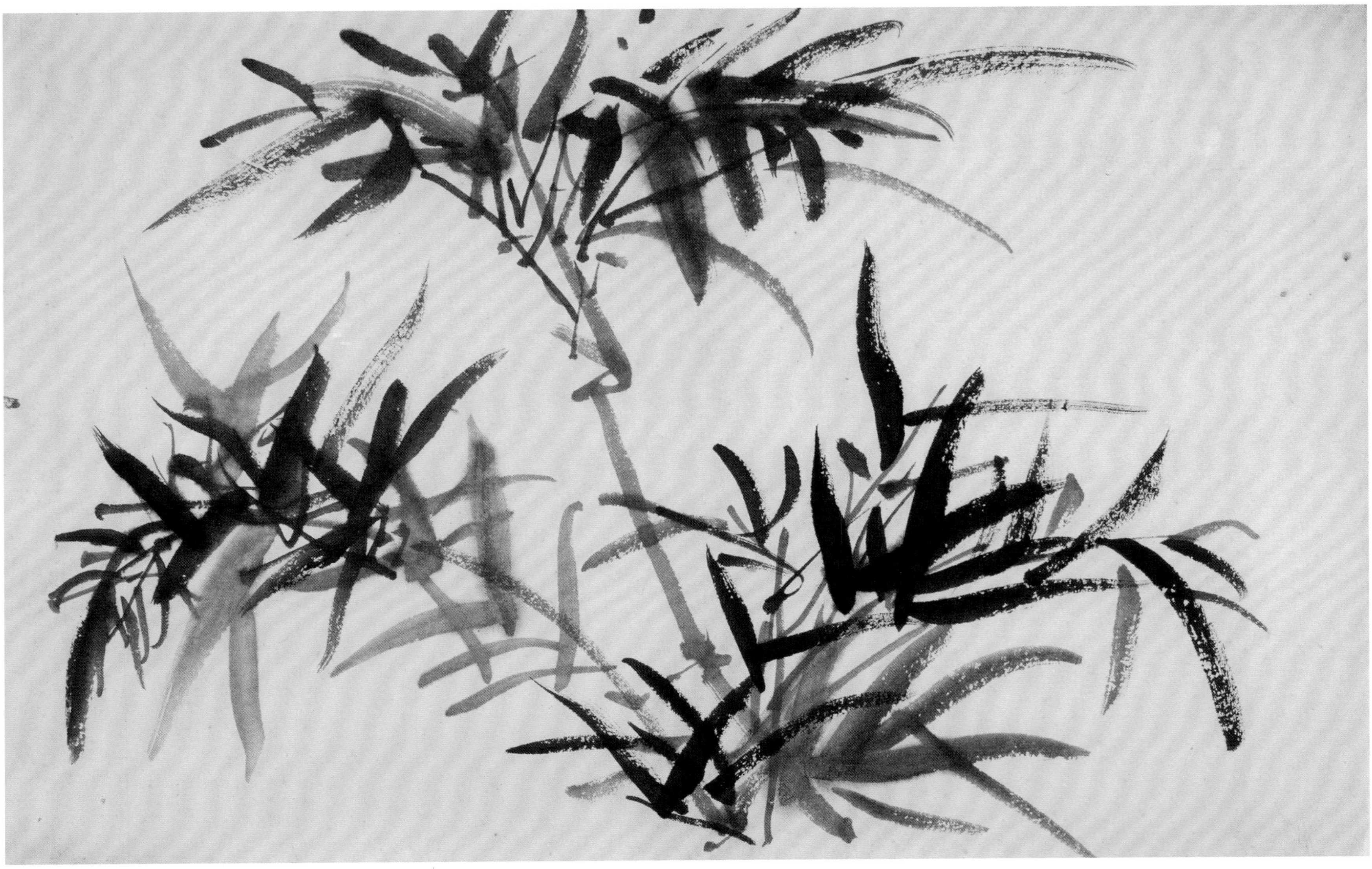

之十二

之十三

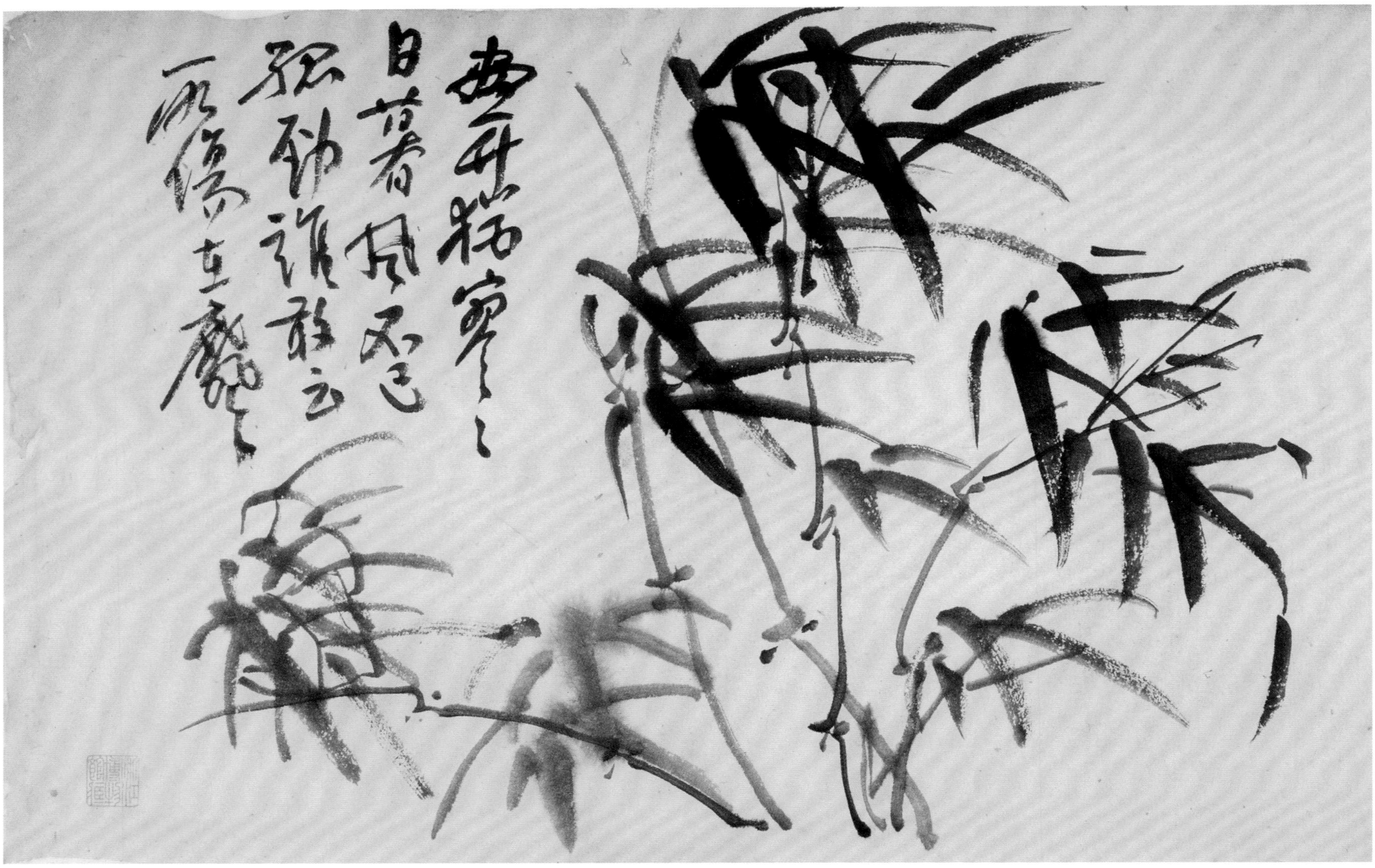

之十四　題識：畫竹猶寥寥　日暮風不已　孤勁誰敢云　所傷在靡靡

之十五

之十六　題識：華林外史　崔瑶筠客　白下玉泉錢璞　稱其品行詩文

之十七　題識：梅道人一葉竹

仿歸世昌竹

紙本　縱二九厘米　橫四四厘米　浙江省博物館藏

仿夏昶墨竹 七幅 紙本 縱二九厘米 橫四二·五厘米 浙江省博物館藏
之一

之二一　題識：夏太常一

之三

之四　題識：夏太常二

之五　題識：夏太常三

之六　題識：夏太常四

之七

竹

紙本 縱二〇厘米 橫九〇厘米 浙江省博物館藏

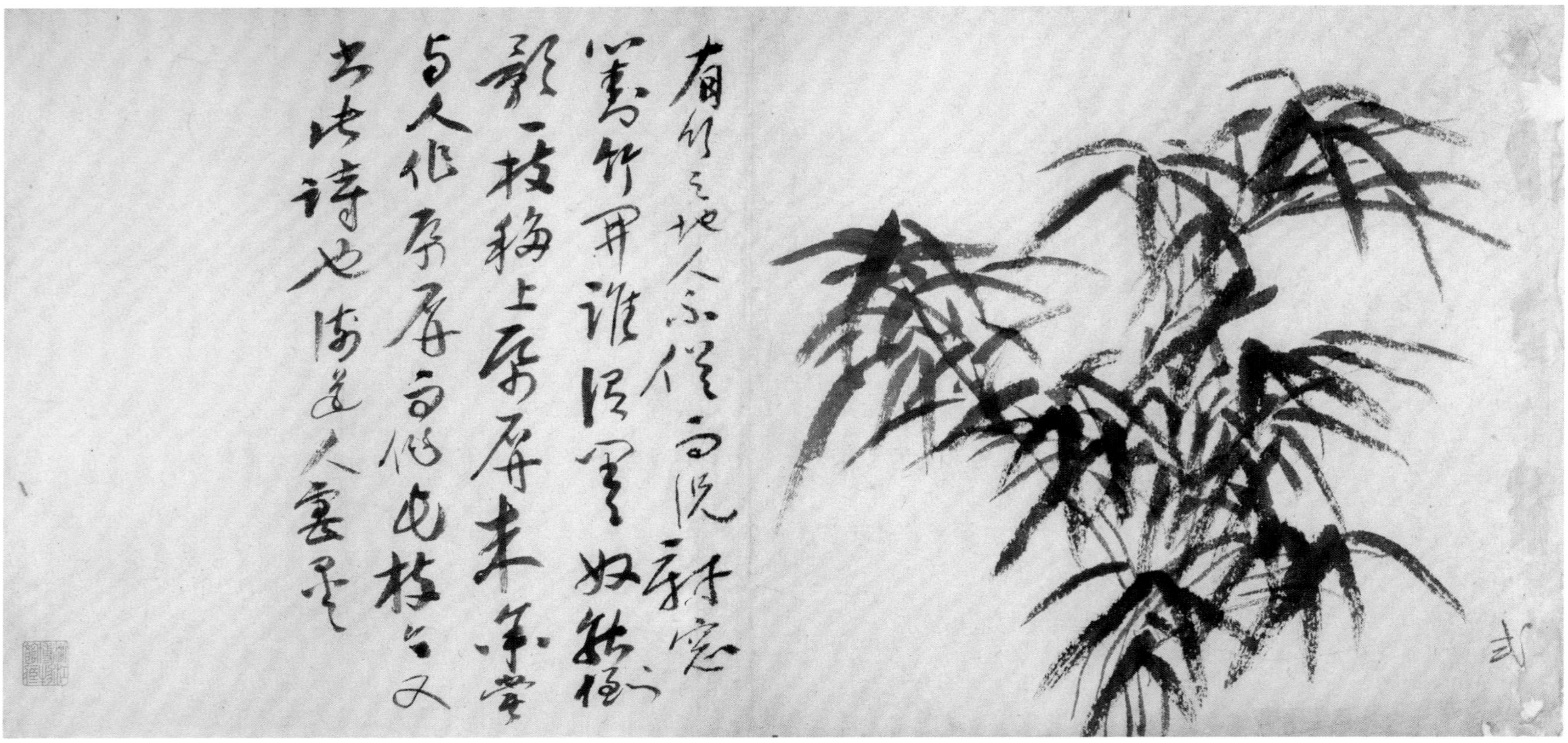

仿吴鎮墨竹　七幅

紙本

縱三〇·五厘米　横六六厘米

浙江省博物館藏

之一　題識：

有竹之地人不俗　而况軒窗對竹開

誰謂墨奴能倒影　一枝移上紙屏來

余嘗與人作紙屏而作此枝

今又書此詩也　梅道人戲墨

之二　題識：

晴霏光煜煜　曉日影曈曈

爲問東華塵　何如北窗風

梅道人作

之三　題識：

墨竹非難　難于蓊鬱　此學者所以
不可不用其力也　梅道人戲墨

之四　題識：

梅道人戲墨于橡林

之五

之六

題識：

山風槭槭海天晴　月底何人作鳳鳴　想是澹山王子晋　九成臺上夜吹笙

之七

題識：

落落不對俗　涓涓浄無塵　緬惟湘渭中　歲寒時相親

野竹野竹絶可愛　枝葉扶疏有真態　生平素與違荆榛　走壁懸崖穿石罅

虛心抱節山之阿　清風細雨聊婆娑　寒梢千尺將如何　渭川淇澳風烟多

至正十九年三月十九日　余坐椽林下　清興遂發　作此

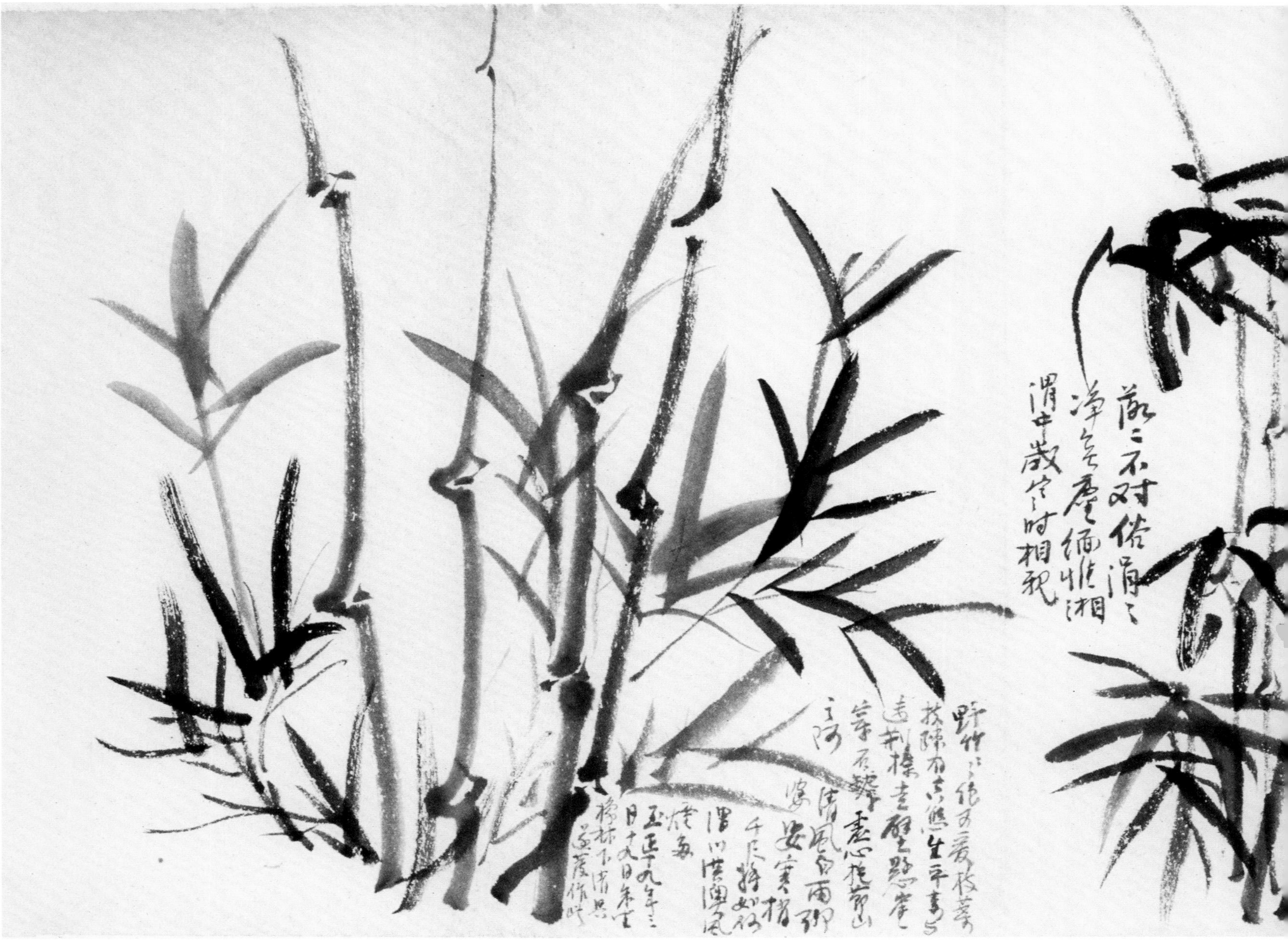

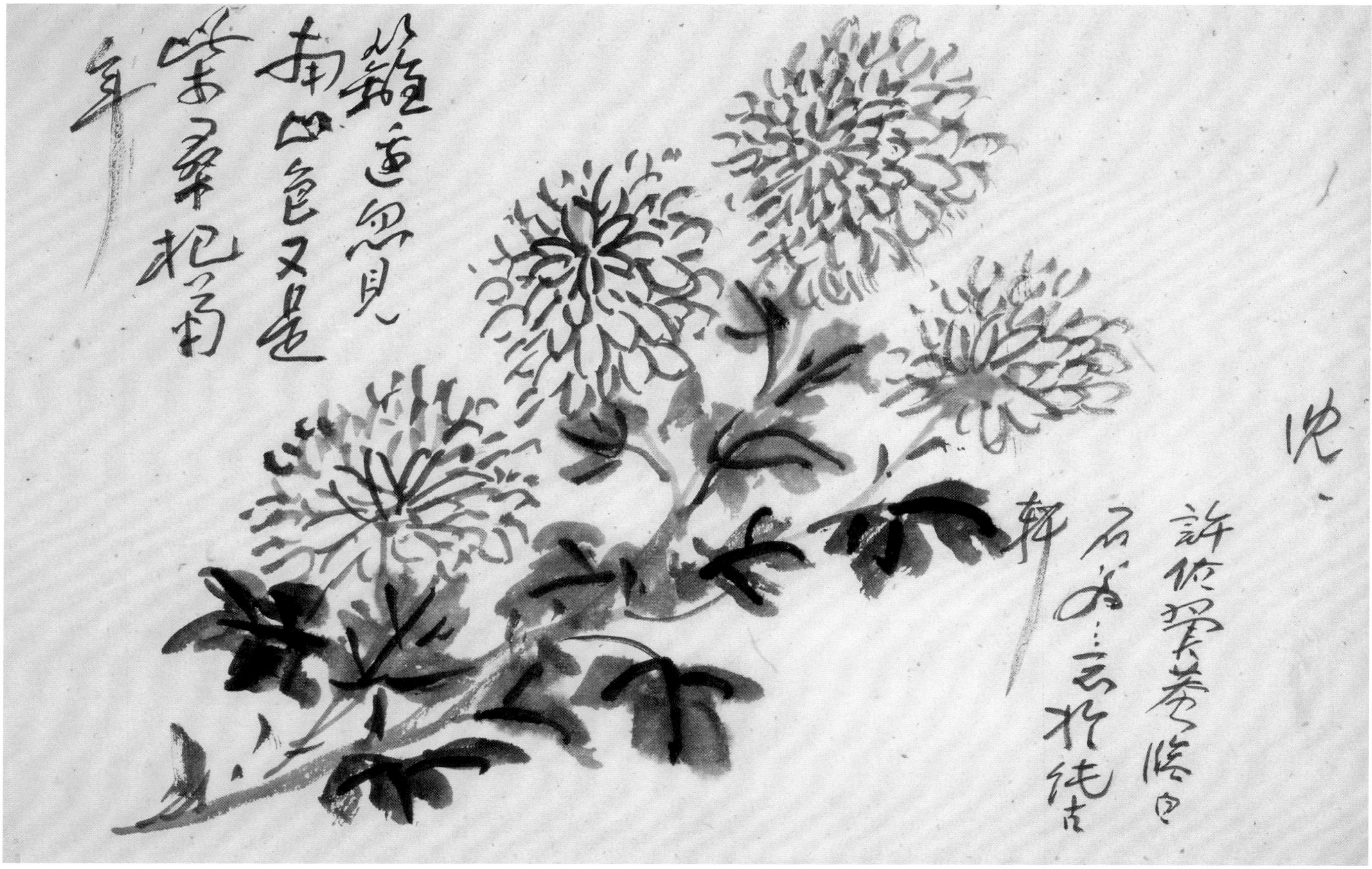

臨沈周菊花 五幅 紙本 縱二九厘米 橫四四·五厘米 浙江省博物館藏

之一 題識：沈一

許佑翼庵臨白石翁意于純古軒 籬邊忽見南山色 又是柴桑把菊年

之二 題識：沈二

之三　題識：沈三

之四

之五

花卉 紙本 縱一〇八厘米 橫三六厘米 浙江省博物館藏

牡丹石榴 紙本 縱一一三·六厘米 橫三九·二厘米 浙江省博物館藏

花卉 紙本 縱一〇七厘米 橫三五·二厘米 浙江省博物館藏

花鳥

紙本　縱一〇六厘米　橫四一厘米　浙江省博物館藏

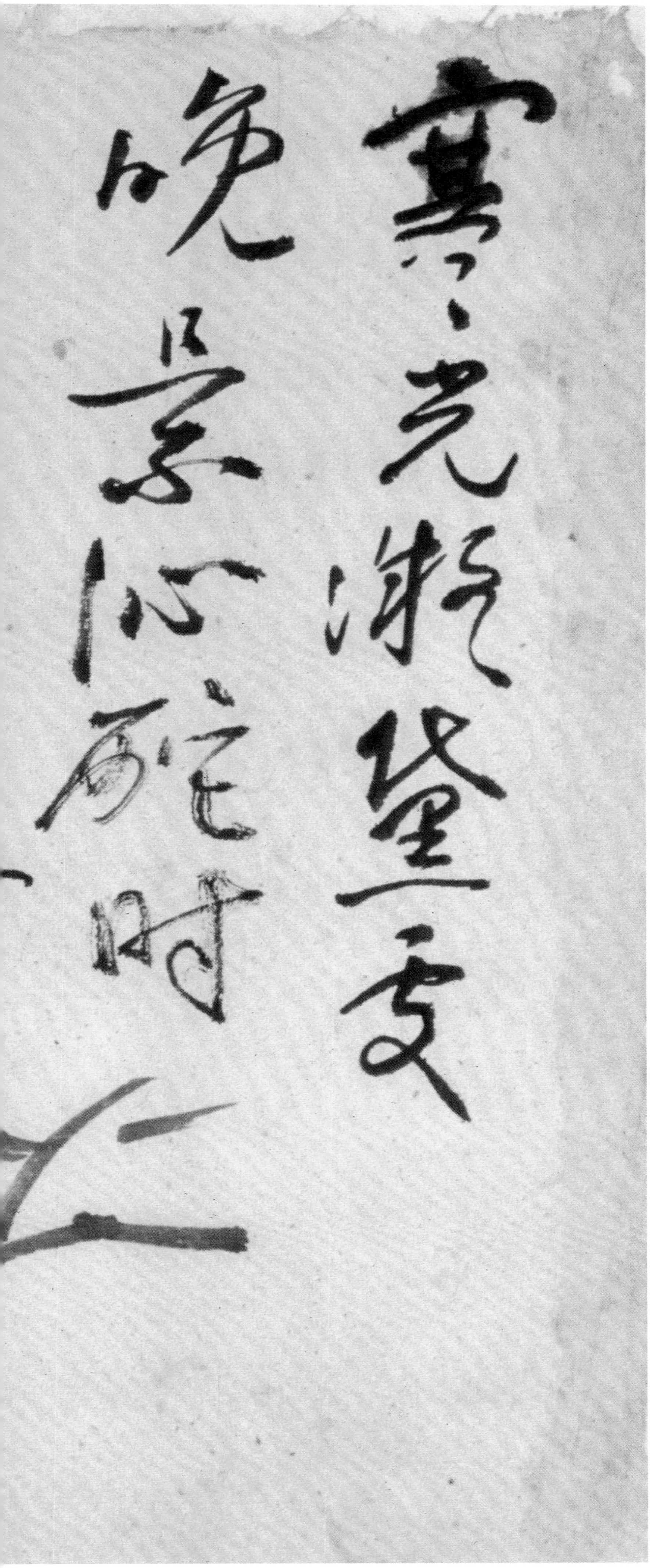

茶花竹石　紙本

縱二九厘米　橫八八厘米

浙江省博物館藏

題識：寒光凝黛處　晚景沁酡時

涼聲風入坐　瀹影月臨窗

清霜一夜入重帷，
翠影珊珊月满窗

102

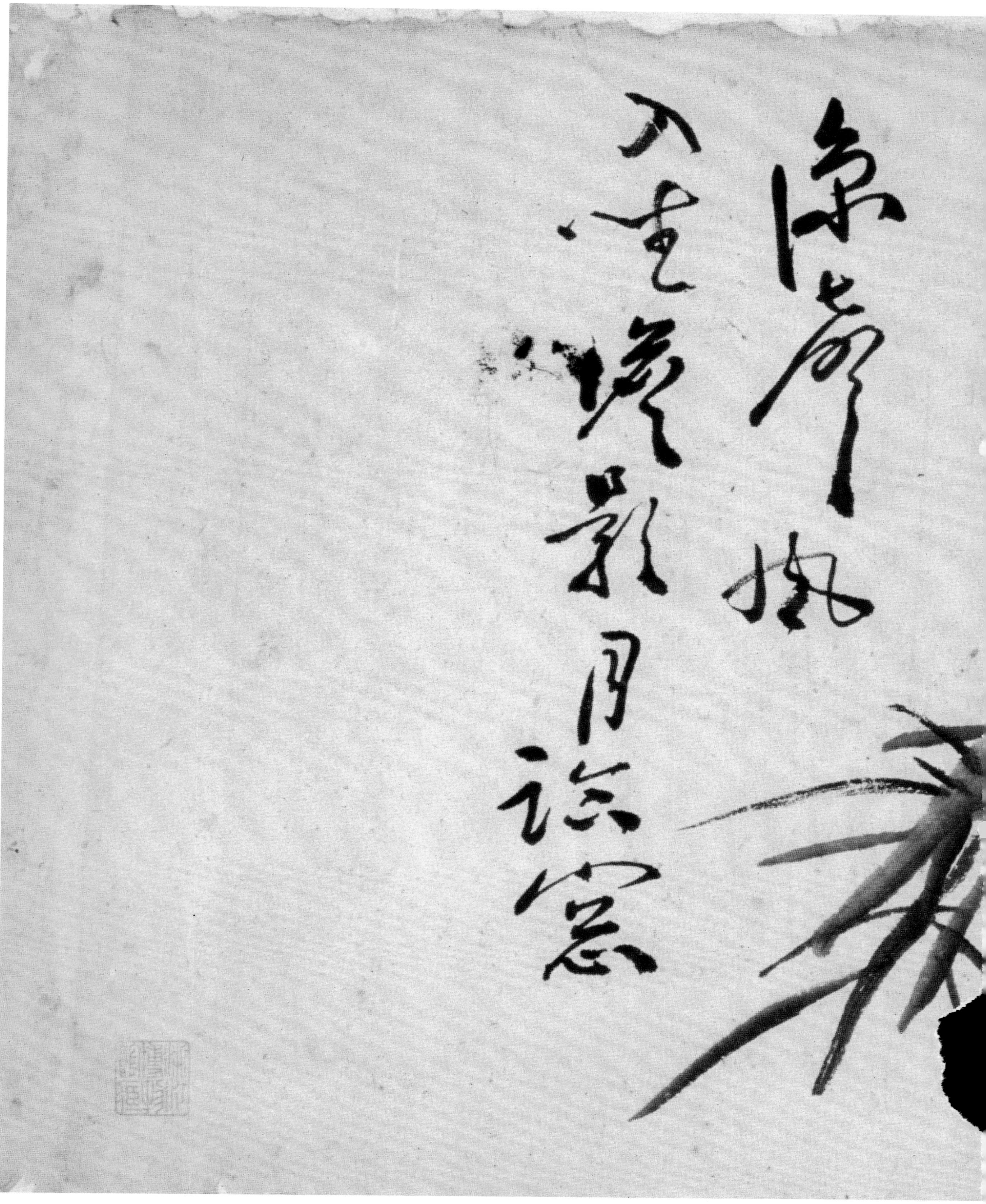

梅竹水仙 紙本 縱一〇七·五厘米 橫三五·三厘米 浙江省博物館藏

竹枝雙雀　紙本　縱七九厘米　橫四三·五厘米　浙江省博物館藏

菊花紅果棲禽圖 紙本 縱九七厘米 橫四七厘米 浙江省博物館藏

秋花 紙本 縱一一〇厘米 横三七厘米 浙江省博物館藏

花卉

紙本 縱七三·八厘米 橫二五·五厘米 浙江省博物館藏

玉簪海棠　紙本

縱二七厘米　横八五厘米

浙江省博物館藏

題識：

徑轉緑雲稠　閨人踏月游

夜凉歸步急　遺下玉搔頭

舌冷風前鳥　心香雨後花

美人春睡起　含笑隔窗紗

吾冷風前鳥心香雨破花
美人春睡起含笑隔簾
紗

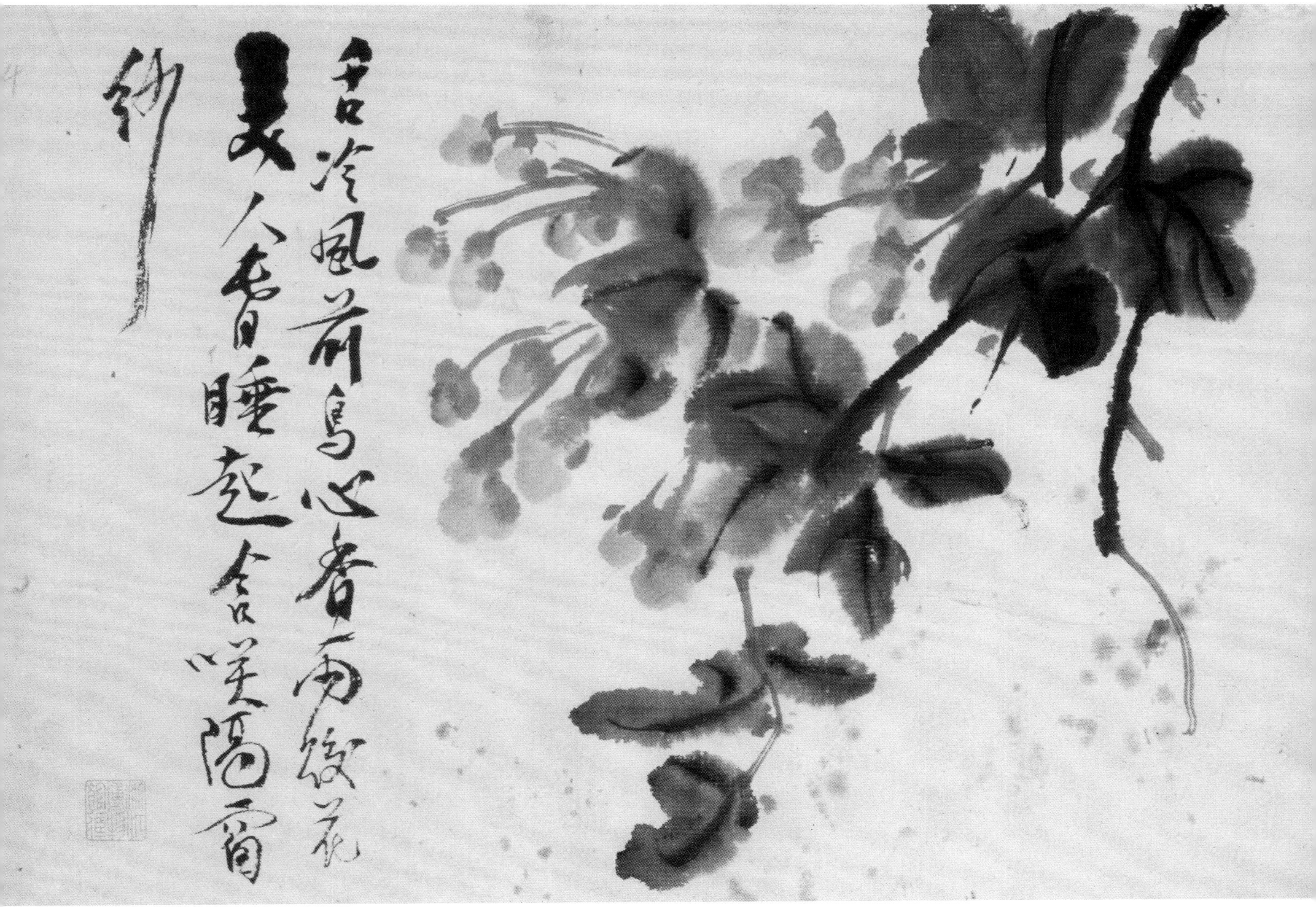

花卉 八幅 紙本 縱二八·九厘米 橫四四·五厘米 浙江省博物館藏

之一 蕉石

題識：庭中只可容一本 揀葉題詩不在多 若種□成翻作惡 夜深其奈雨聲何

之二　牡丹

題識：醉把名花掌上新　空山開處幾回春　西施自愛傾城色　一出吴宮不嫁人

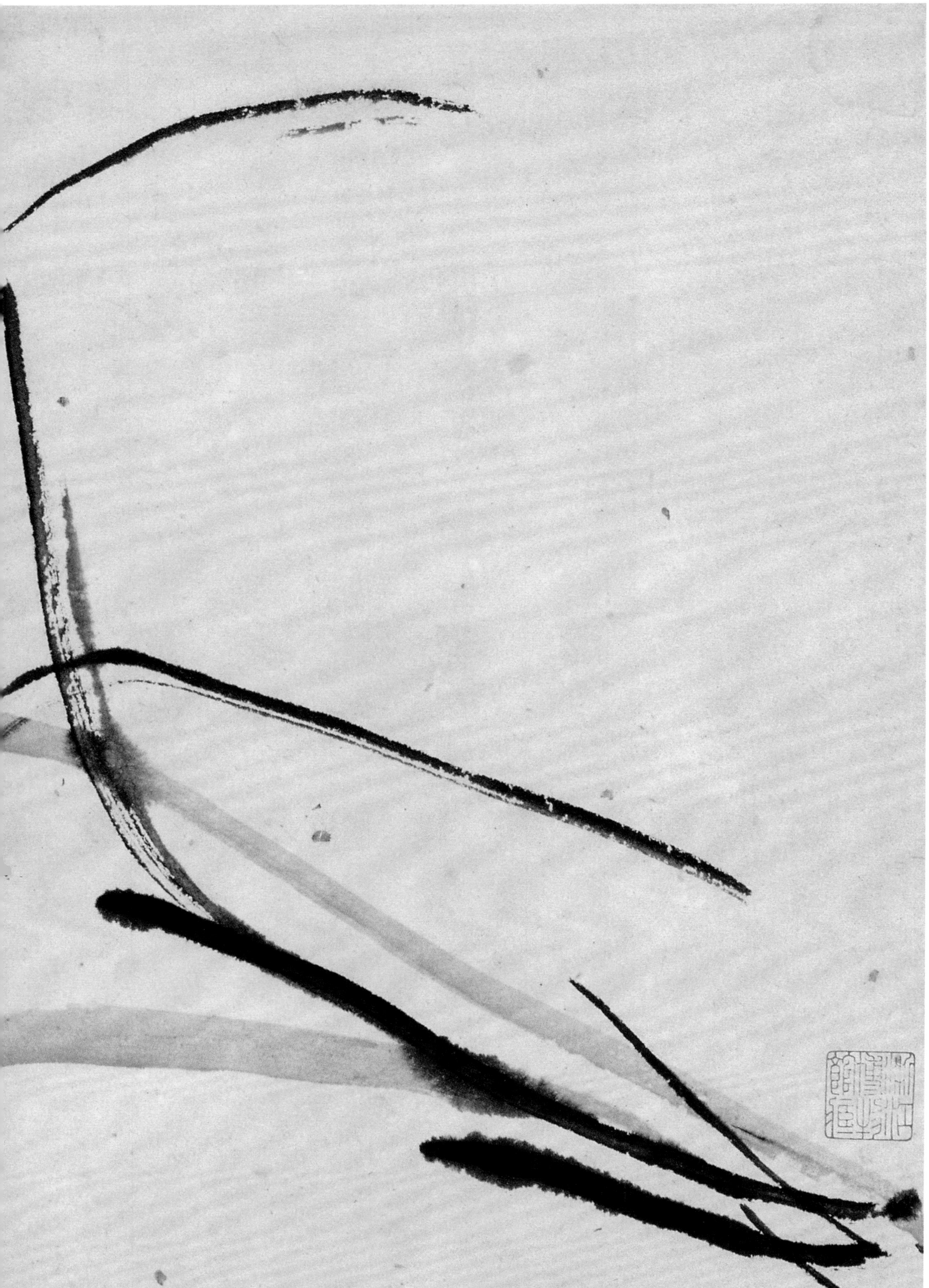

之三　萱花

之四　秋花

之五　花卉

之六　月季竹枝

之七　花卉

之八　月季

花卉 七幅 紙本 縱二八·五厘米 橫四五厘米 浙江省博物館藏

之一 濃艷

題識：穠艷含俏素艷存 毫端生氣總春温 武陵溪畔花如錦 幾樹能留淡墨痕

之二　萱花

之三　菊花

題識：

霜滿籬邊色
花開研北枝
南山詩句好
幽興少人知

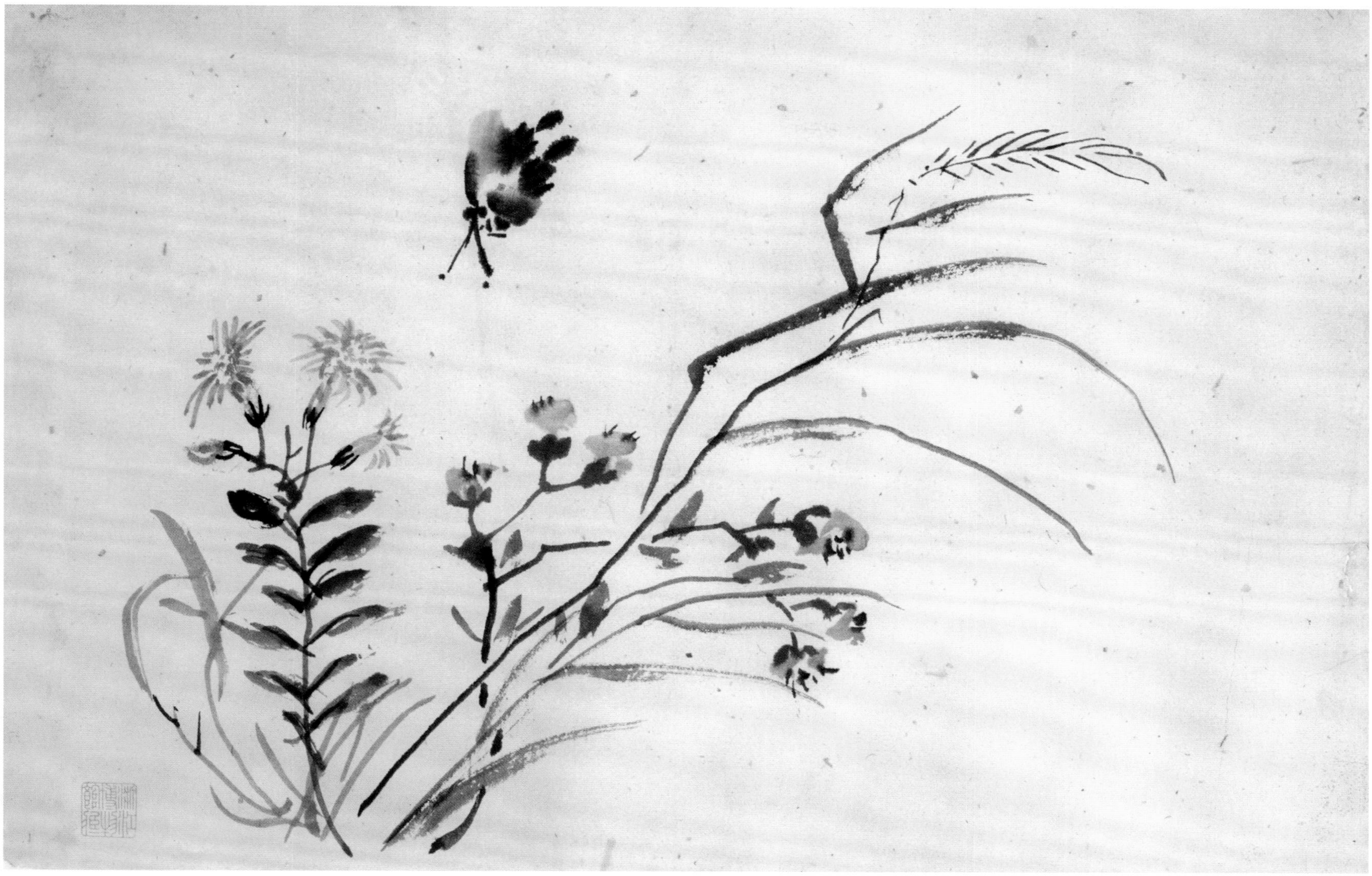

之四 蝶花

之五 桃花

之六　清姿

題識：

刻玉雕瓊作小葩

清姿原不受鉛華

西風收得餘香去

分與秋城無限花

之七　玉蘭

花卉 兩幅
紙本
縱二七厘米
橫四一·五厘米
浙江省博物館藏
之一 桃花
之二 牡丹

花卉 兩幅 紙本 縱二八·五厘米 横四四厘米 浙江省博物館藏

之一 百合

題識：五月葵榴粲 争如百合奇 夜深香滿屋 正是酒醒時

之二　牡丹

題識：春事花時節　紅紫各自賦　勿嫌薄脂粉　適足表真素

蜀葵 紙本 縱二六·一厘米 橫四一·三厘米 浙江省博物館藏

花卉 六幅 紙本 縱二九·五厘米 横四五厘米 浙江省博物館藏

之一 芍藥

之二 芙蓉

之三 花卉

之四　萱花

之五　牡丹

之六　花卉

花卉 九幅 紙本 縱二九·五厘米 橫四五厘米 浙江省博物館藏

之一 海棠

題識：冷艷不饒梅無色 靚妝常與月爲鄰

之二一 芍藥

之三　芙蓉

之四　牡丹

題識：底須三月争韶景　别有春風惹玉堂　富貴不淫留本色　歲寒松柏意俱長

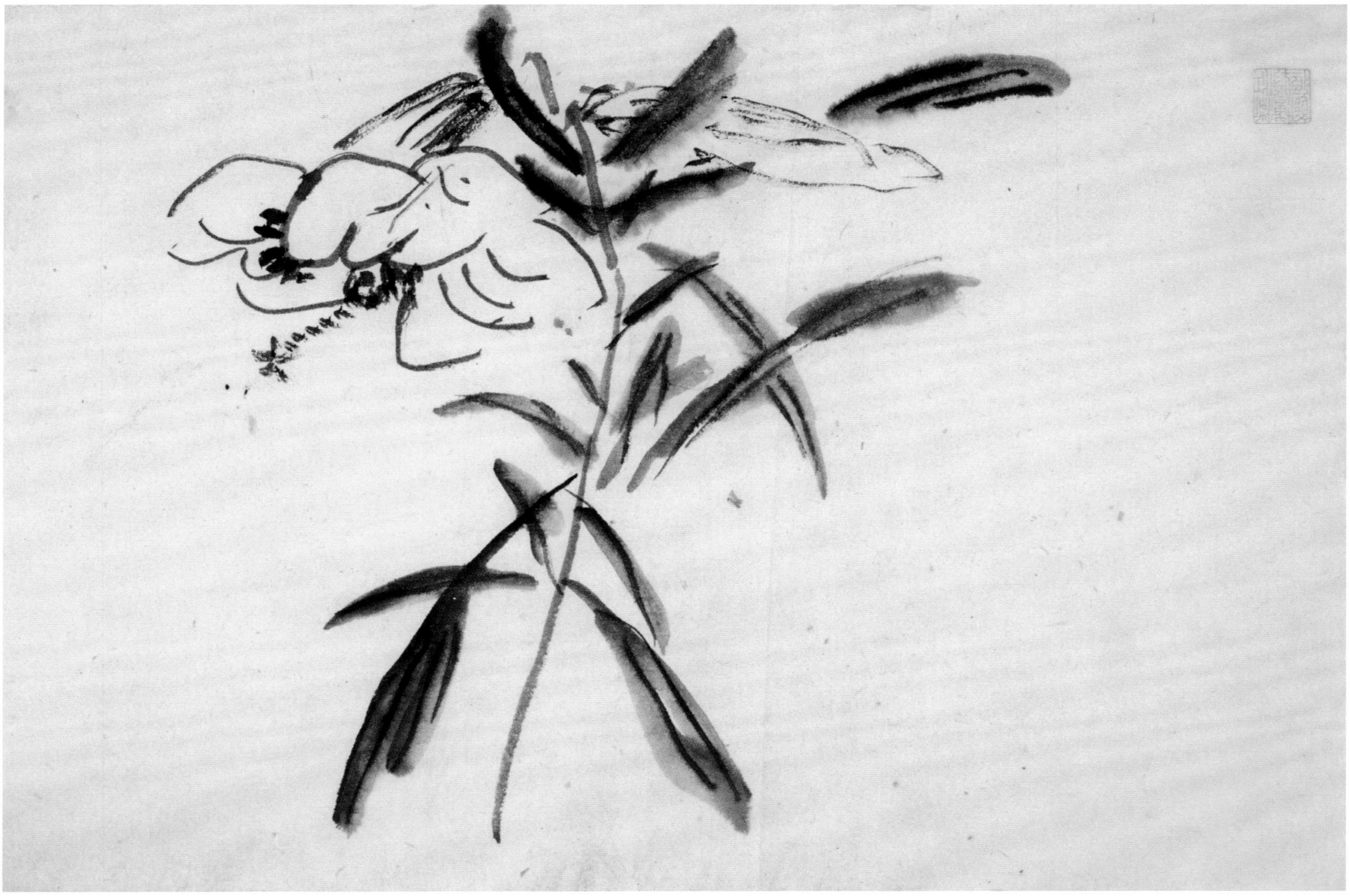

之五　百合

之六　忘憂草

題識：

金鈿翠帶玉雕鏤

如向風前舞未休

何事閑亭多種此

爲他名草是忘憂

之七　蝴蝶花

之八　花卉

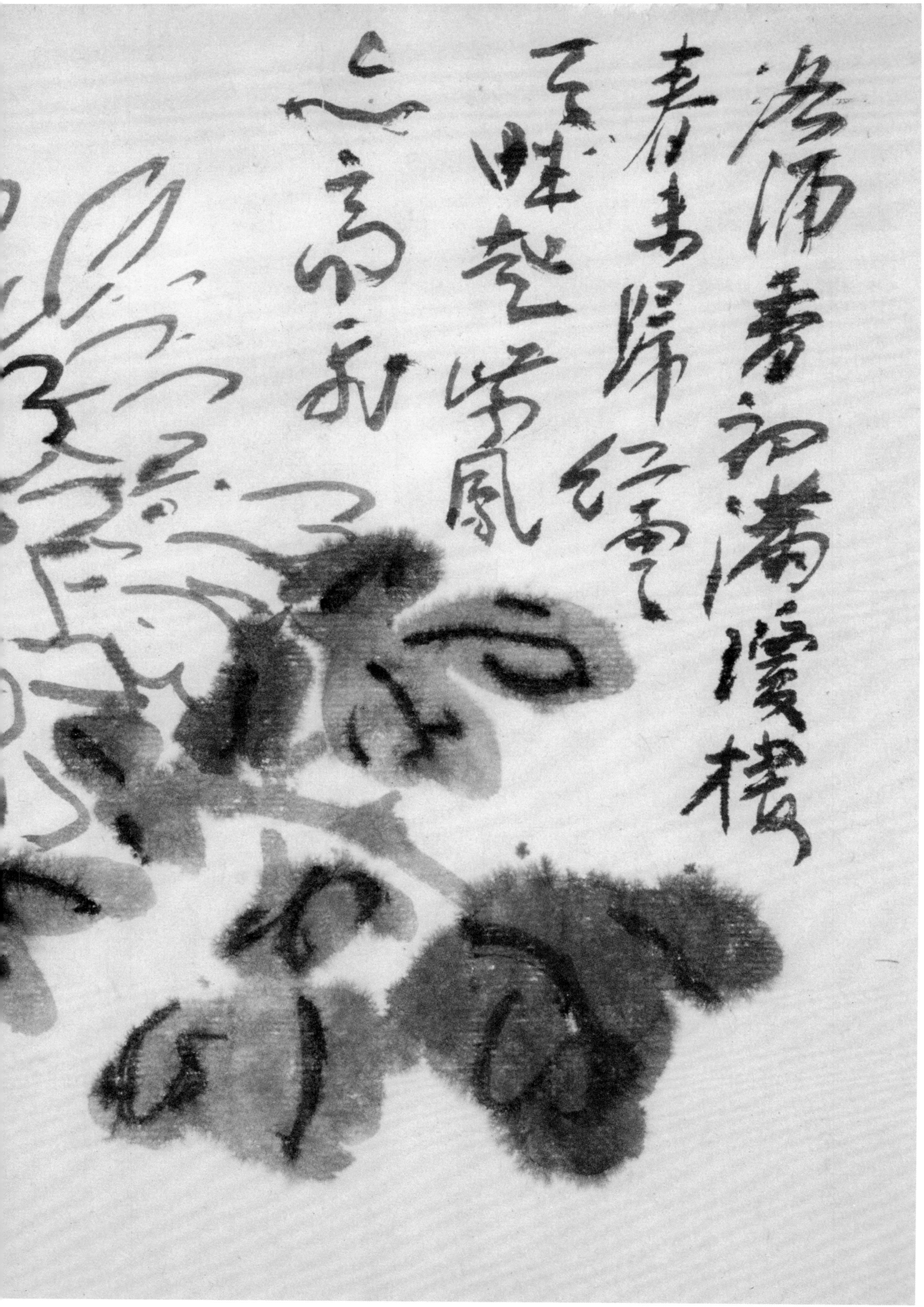

之九　牡丹　題識：洛浦香初滿　瓊樓春末歸　紅雲天畔起　紫鳳亦高飛

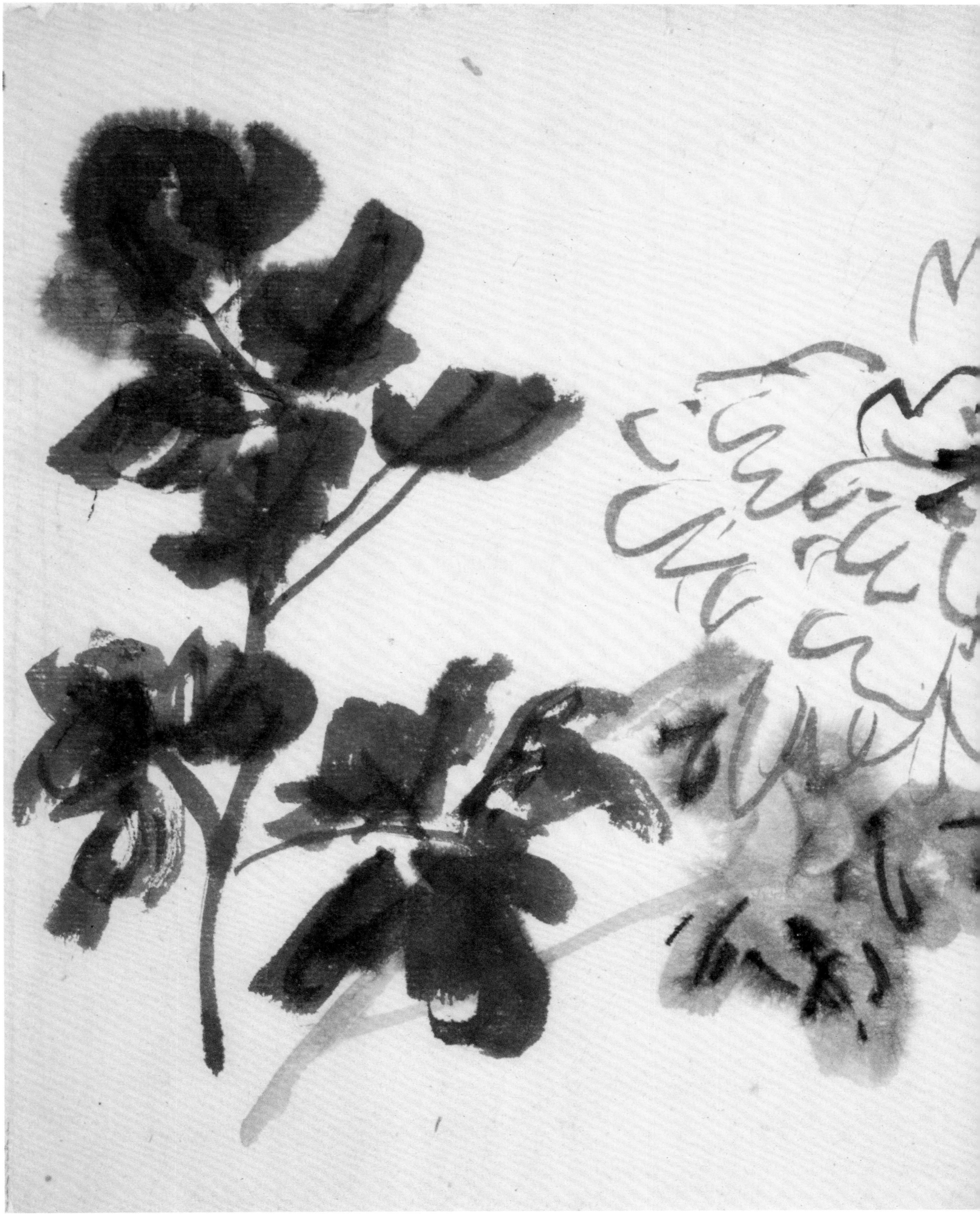

牡丹 紙本
縱三〇厘米
橫四五厘米
浙江省博物館藏

茶花 紙本
縱二八·五厘米
橫四五厘米
浙江省博物館藏

仿古花卉 四幅
紙本
縱二八厘米
横四四厘米
浙江省博物館藏
之一 牡丹
之二 虞美人

之三　蜀葵

之四　花卉

牡丹 紙本 縱二九厘米 橫八八厘米 浙江省博物館藏

題識：最好池邊見 還堪月下逢

花卉 四幅 紙本 縱二九·五厘米 橫四五厘米 浙江省博物館藏

之一 花卉

之二　綉球

之三 花卉

之四　海棠

花卉 七幅 紙本 縱二七·五厘米 橫四五厘米 浙江省博物館藏

之一 花卉

之二　芍藥

之三　芍藥
題識：蕭太虛雨中芍藥

之四　牡丹

之五　芍藥

之六　芍藥

之七　稻黍河蟹

花卉 兩幅 紙本 縱三〇厘米 橫四五厘米 浙江省博物館藏

之一 月季

之二　松枝花卉

花卉 六幅 紙本 縱二九·五厘米 横四五厘米 浙江省博物館藏

之一 芙蓉菊花

之二　荷花慈姑

之三　牵牛桂花

之四　芙蓉百合

之五　菊花

之六　花卉

種得芭蕉一萬株 紙本

縱三〇厘米 横九三厘米

浙江省博物館藏

題識：

種得芭蕉一萬株 逢人只説緑糊塗

夜來秋雨窗前過 清濁高低滴滴殊

花卉 兩幅 紙本 縱二九厘米 橫四四厘米 浙江省博物館藏

之一 牡丹

之二　玉茗

題識：玉茗風流在　人簪粉筆香

花卉 兩幅 紙本 縱三〇厘米 橫四六·五厘米 浙江省博物館藏

之一 花卉

之二一　秋花

花卉 兩幅 紙本 縱二九·五厘米 橫四四厘米 浙江省博物館藏

之一 茶花水仙

之二　竹枝花卉

夾竹桃　紙本　縱二九厘米　橫四三厘米　浙江省博物館藏

花卉 四幅 紙本 縱二四·五厘米 橫四二厘米 浙江省博物館藏

之一 百合

之二一 秋花

之三 萱花

之四　花卉

花卉 四幅 紙本 縱二七·五厘米 橫四五厘米 浙江省博物館藏

之一 桂花

之二一　茶花

之三　菊花秋海棠

之四　海棠水仙

秋園菰卉 紙本

縱二七·五厘米 橫一九·五厘米

浙江省博物館藏

題識：

秋園有菰卉 體柔色更嬌

珊瑚安足擬 紅玉遜妖嬈

水仙 紙本

縱二七·五厘米 橫二〇厘米

浙江省博物館藏

題識：

略有風情陳妙常

絶無烟火杜蘭香

菖葉文螺　紙本　縱二七·五厘米　橫一九厘米　浙江省博物館藏

題識：南海有文螺　常浮碧水渦　携來種菖葉　應識虎鬚多

牡丹 紙本 縱三二·五厘米 横二〇·五厘米 浙江省博物館藏

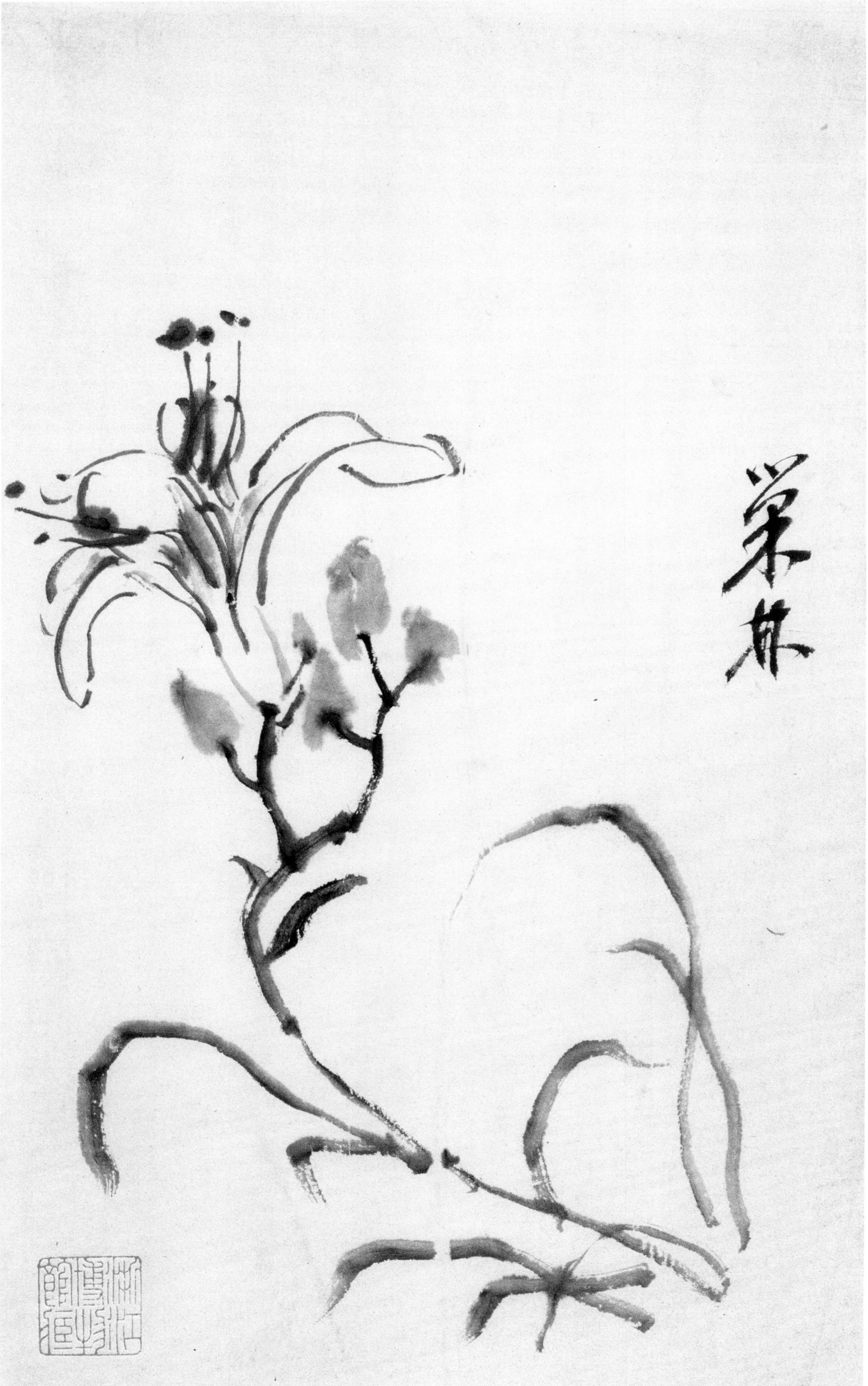

萱花 紙本 縱二六·五厘米 橫一六·五厘米 浙江省博物館藏

題識：巢林

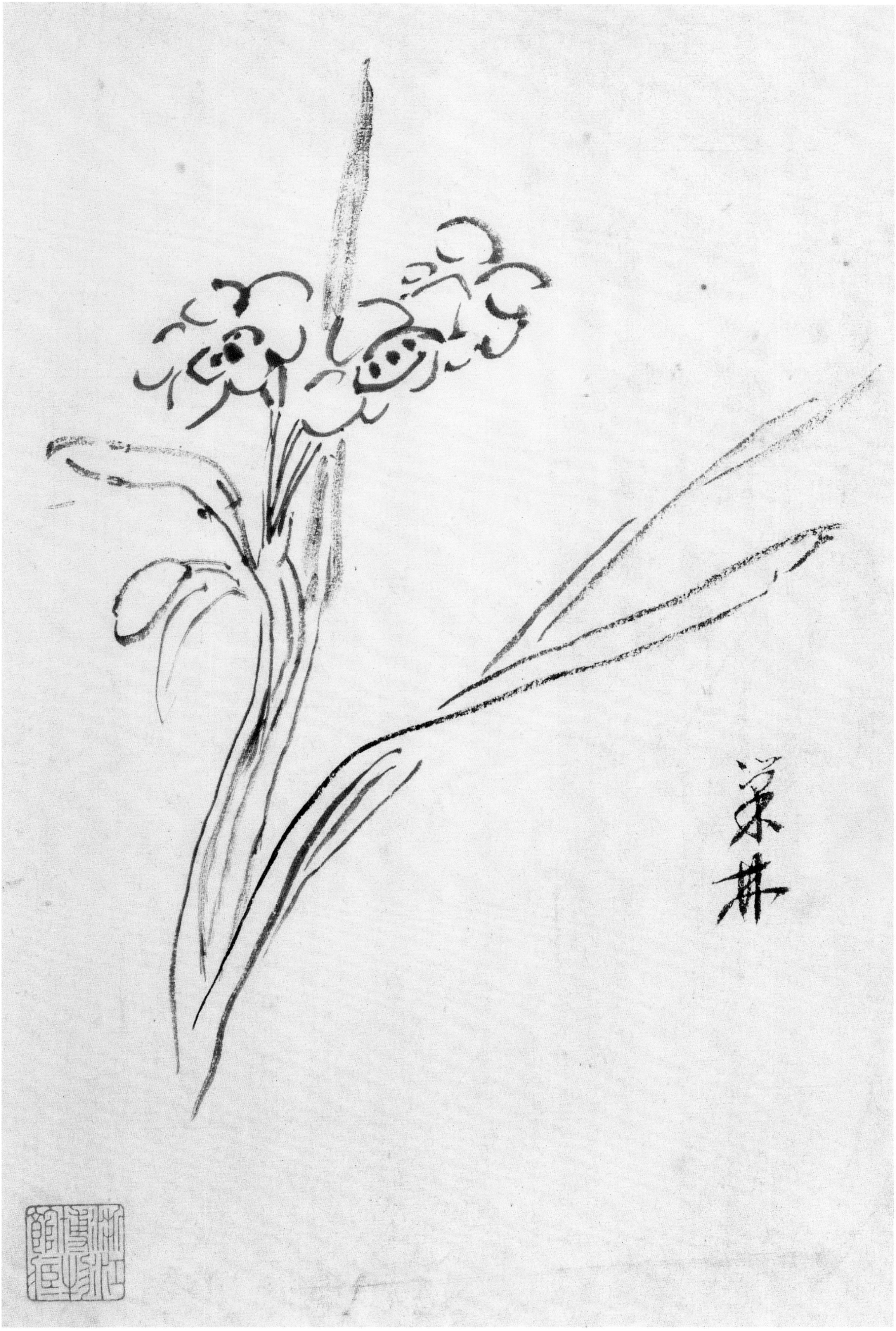

水仙 紙本 縱二六·五厘米 橫一六·五厘米 浙江省博物館藏

題識：巢林

霜後見佳色 紙本

縱二九·五厘米 橫九〇厘米 浙江省博物館藏

題識：霜後見佳色 雨餘聞細香

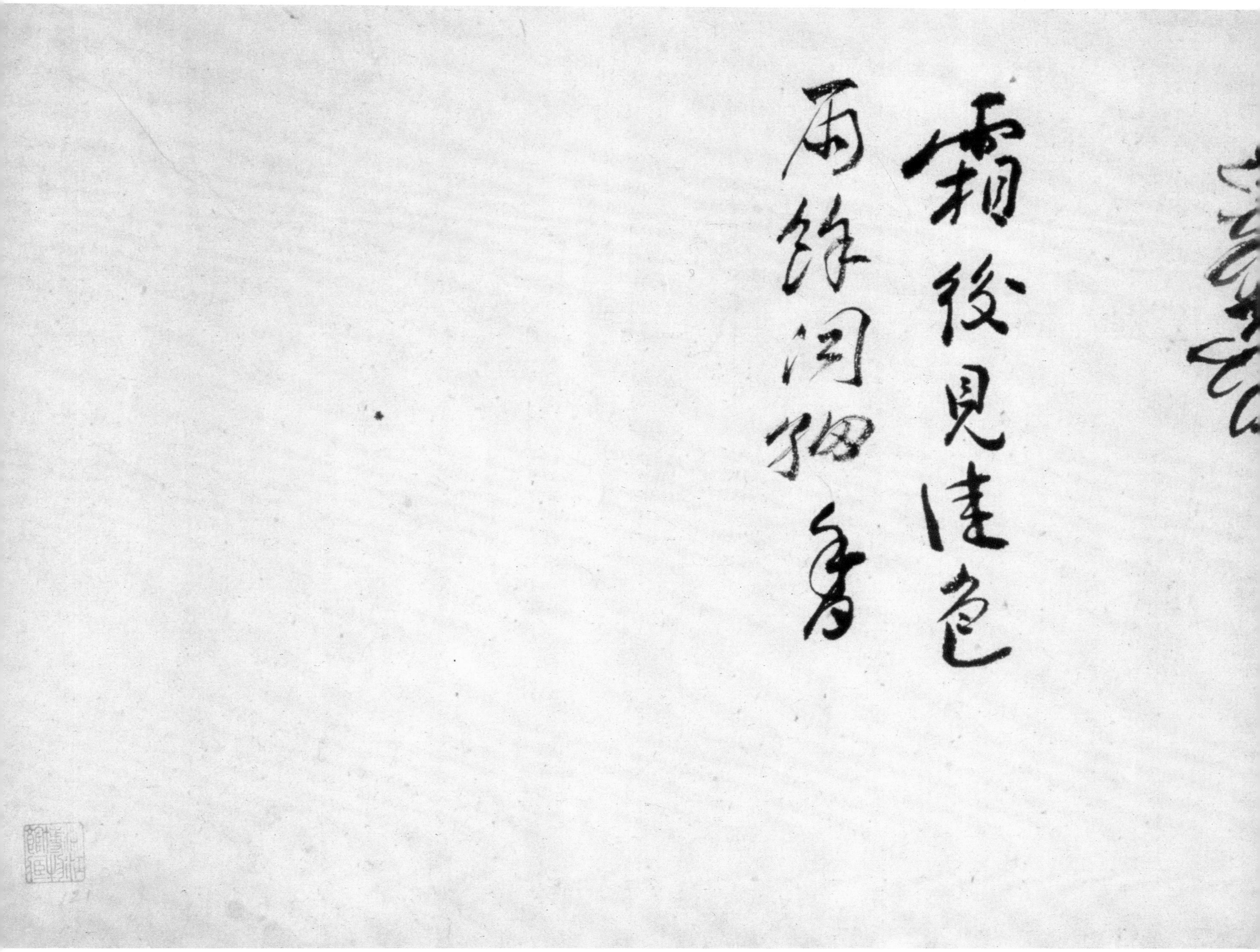
霜後見佳色

花卉 兩幅　紙本　縱二〇厘米　橫二四·五厘米　浙江省博物館藏

之一　花卉

之二　栀子花

花卉 十三幅 紙本 縱二八厘米 橫四二厘米 浙江省博物館藏

之一 茶花

之二　水仙梅花

之三　芍藥

之四　月季

題識：

粉頰丹腮朵朵新　開來無月不精神　多應別有回天力　留得乾坤四季春

范□詩近俗

之五　牡丹

之六　栀子花

之七　牡丹

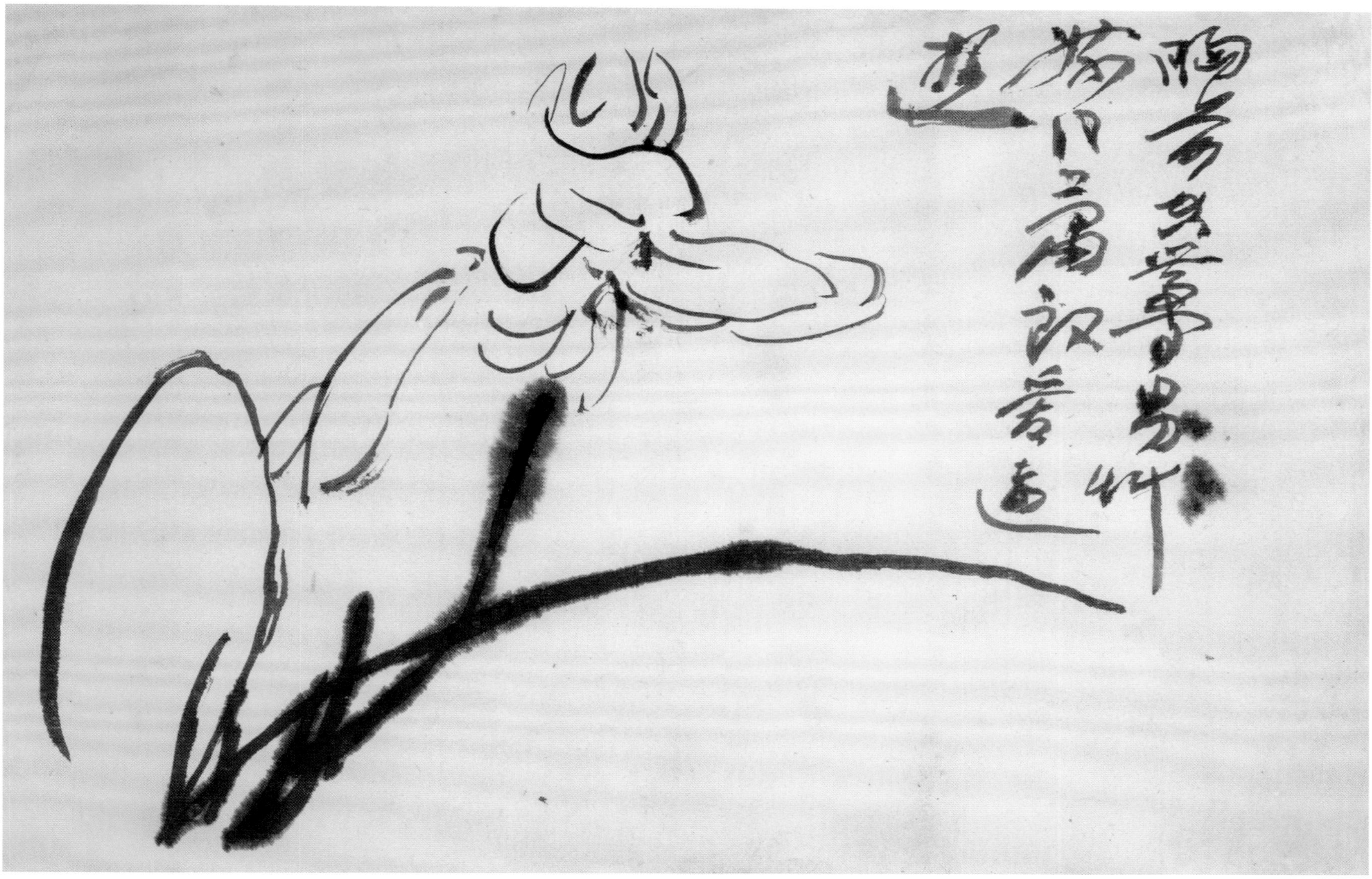

之八　萱花
題識：胸前空帶宜男草　嫁得蕭郎愛遠游

之九　茶花

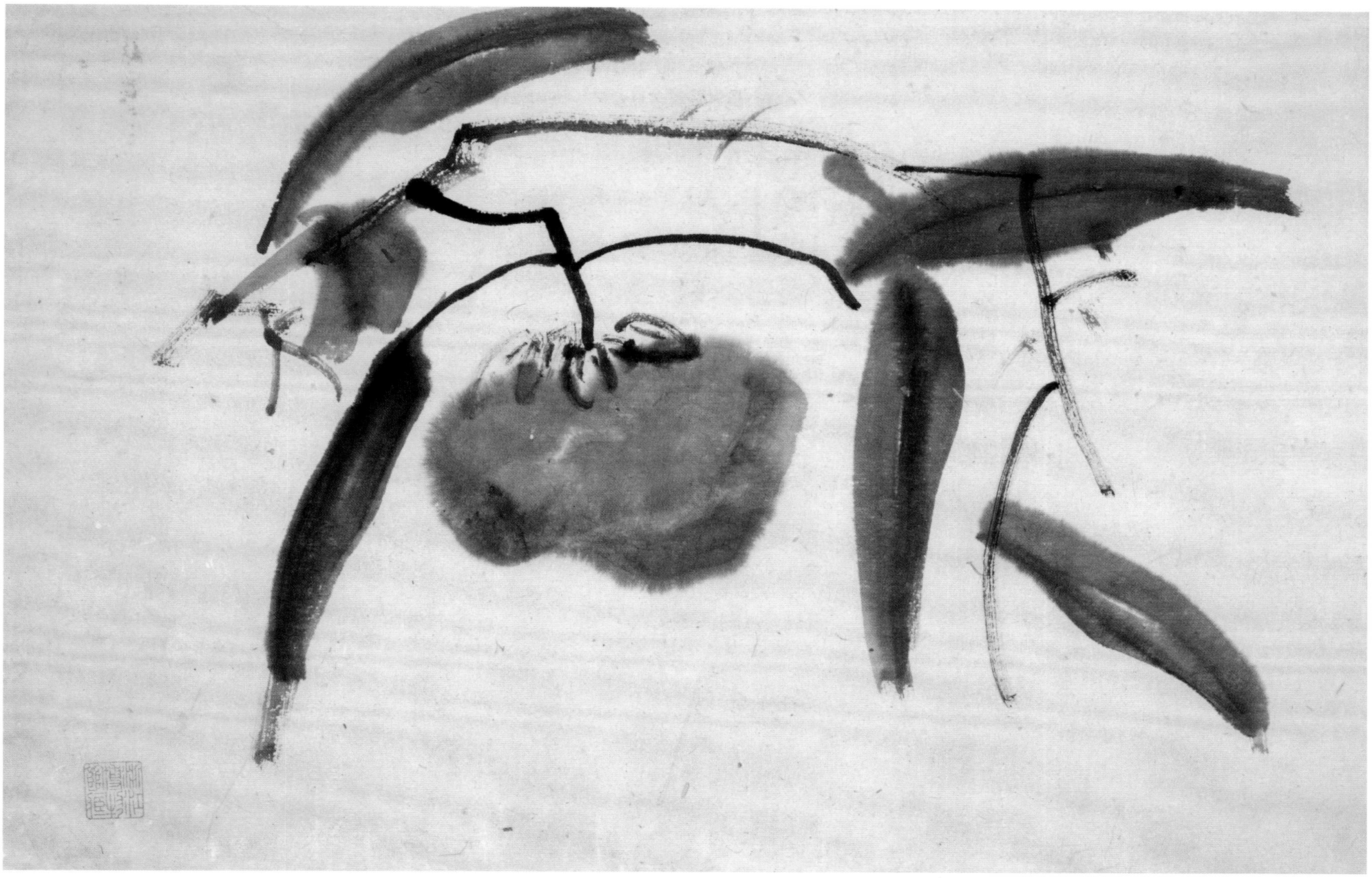

之十　柿子

之十一　荷花

題識：

臉膩香蕉似有情　世間何物比輕盈　湘妃雨後來池看　碧玉盤中着水晶

之十二　牡丹

之十三　鷄冠花

春花 紙本 縱二八厘米 橫三九厘米 浙江省博物館藏

鈐印：黄質私印 黄賓虹

水仙梅花 紙本 縱二二·五厘米 橫二三厘米 浙江省博物館藏

花卉 兩幅 紙本 縱二〇厘米 橫二五·五厘米 浙江省博物館藏
之一 綉球 之二 雁來紅

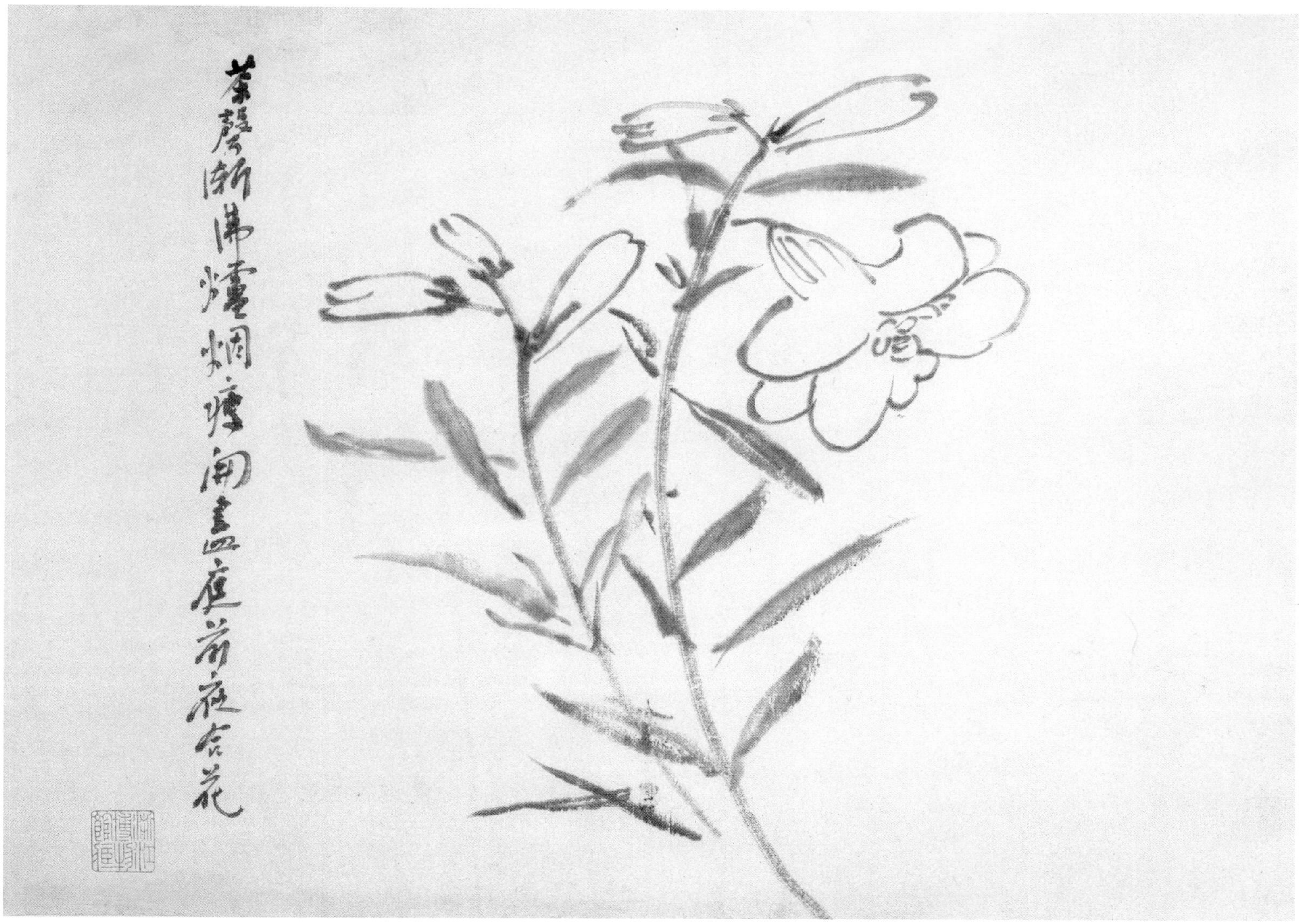

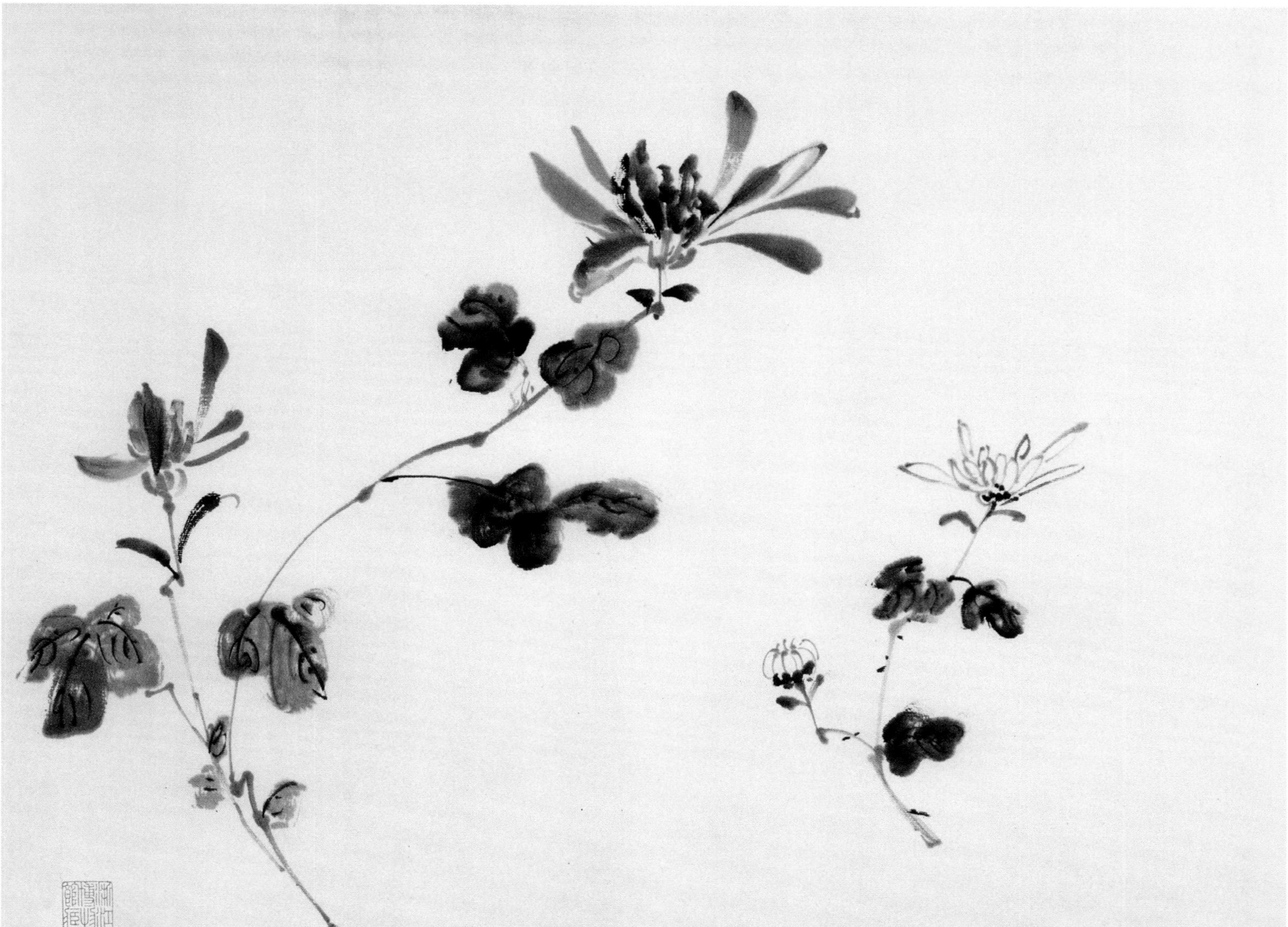

開盡庭前夜合花　紙本　縱二七厘米　橫三七厘米　浙江省博物館藏

題識：茶聲漸沸爐烟瘦　開盡庭前夜合花

菊花　紙本　縱三四·五厘米　橫四四厘米　浙江省博物館藏

牡丹 紙本 縱四七厘米 橫二八厘米 浙江省博物館藏

水仙 紙本 縱三八厘米 橫二七厘米 浙江省博物館藏

花卉 七幅 紙本 縱三〇厘米 橫四五厘米 浙江省博物館藏

之一 芙蓉

之二一　梅花

之三一　芙蓉

之四　桂花

之五　花卉

之六　茶花

之七　秋花

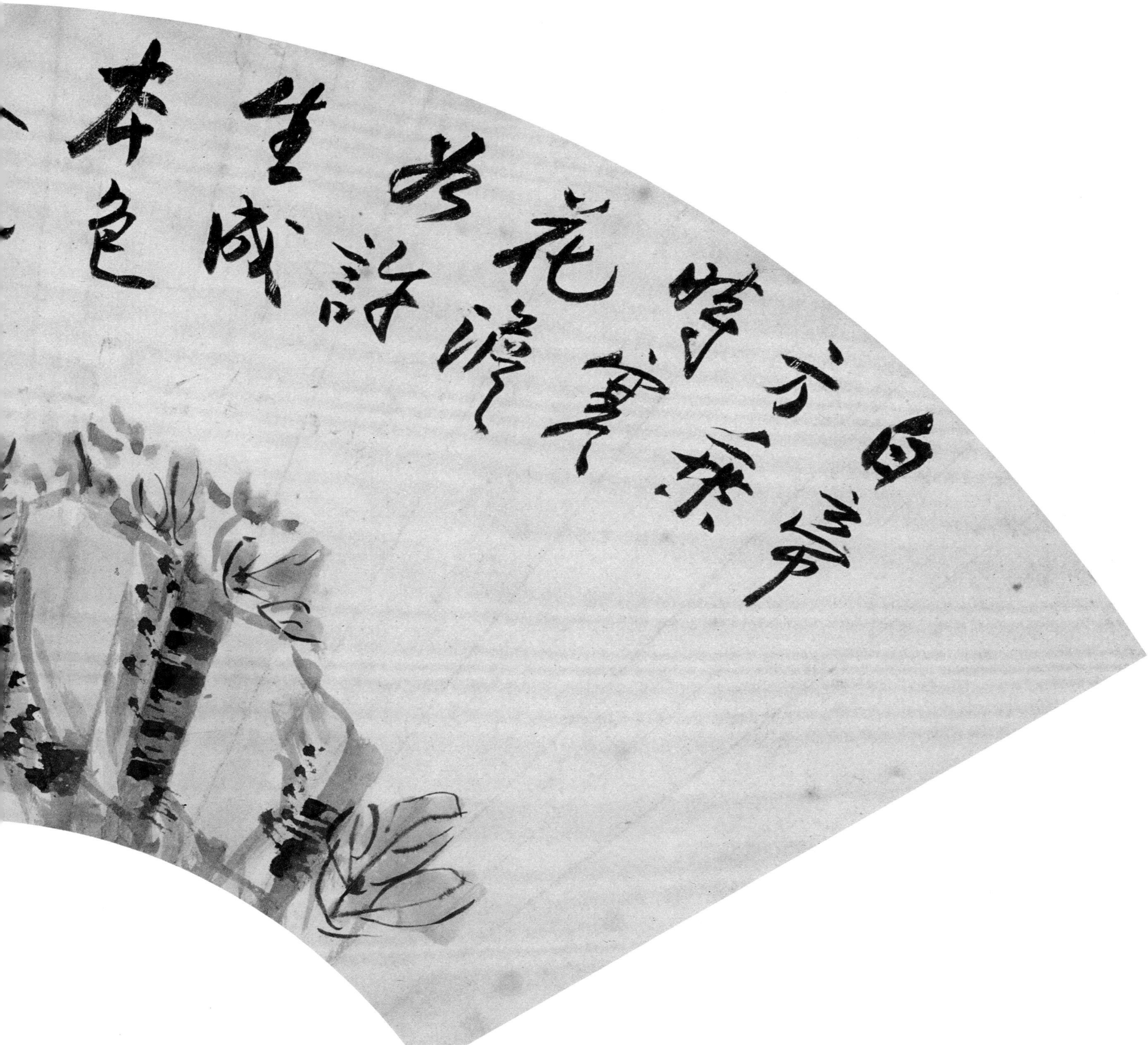

寒花澹如許　紙本

縱一八·四厘米　橫五〇厘米

浙江省博物館藏

題識：

白帝方乘時　寒花澹如許

生成本色人　况伴素心侶

鈐印：黄賓虹

伴素
心侶

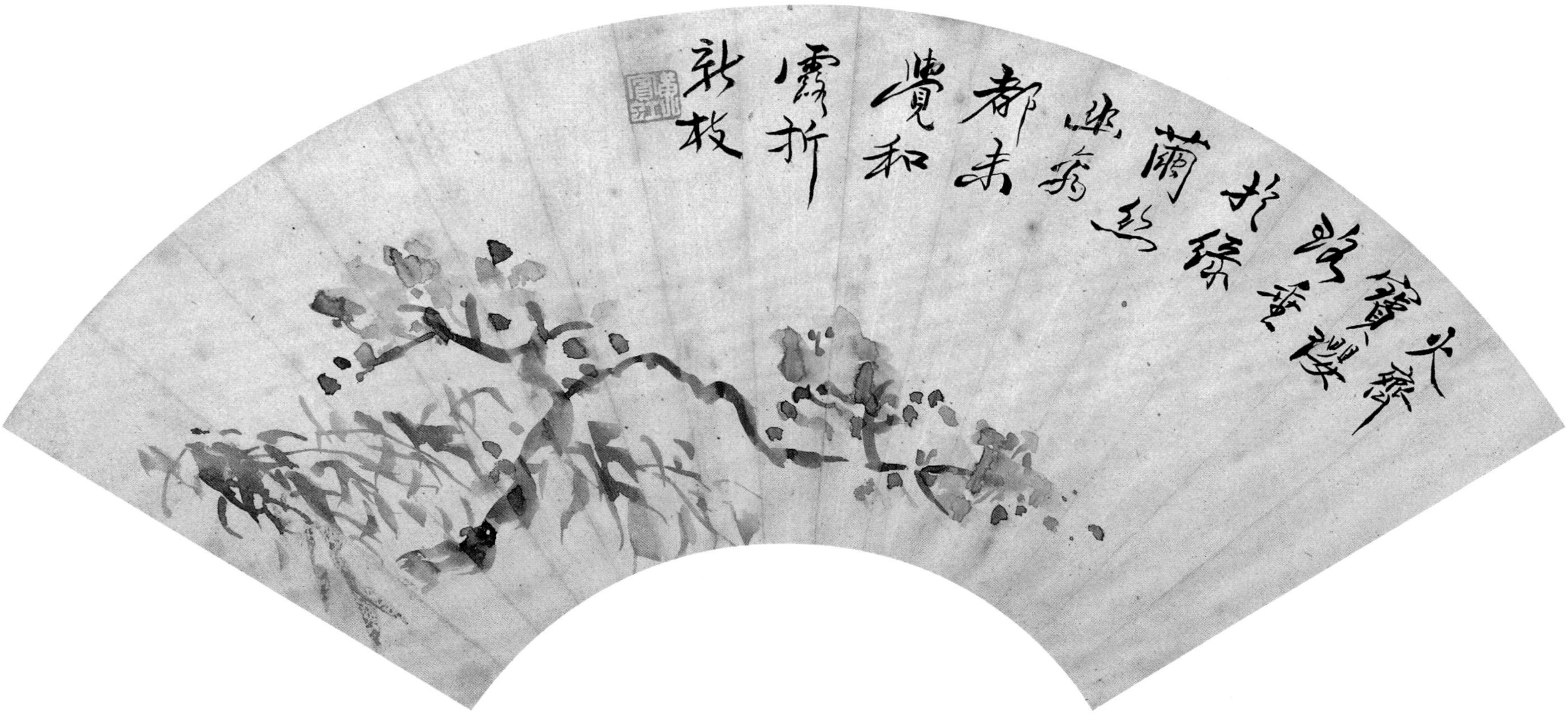

花卉 六幅 紙本 縱一八厘米 橫五〇厘米 私人藏

之一 和露折新枝

題識：火齊寶纓絡 垂于緑蔴絲 幽禽都未覺 和露折新枝

鈐印：黄賓虹

之二　老姿擬绛仙

題識：菊亦太狡獪　弄脂亦調鉛　雪髮擬绛雪　老姿擬绛仙　鈐印：黄賓虹

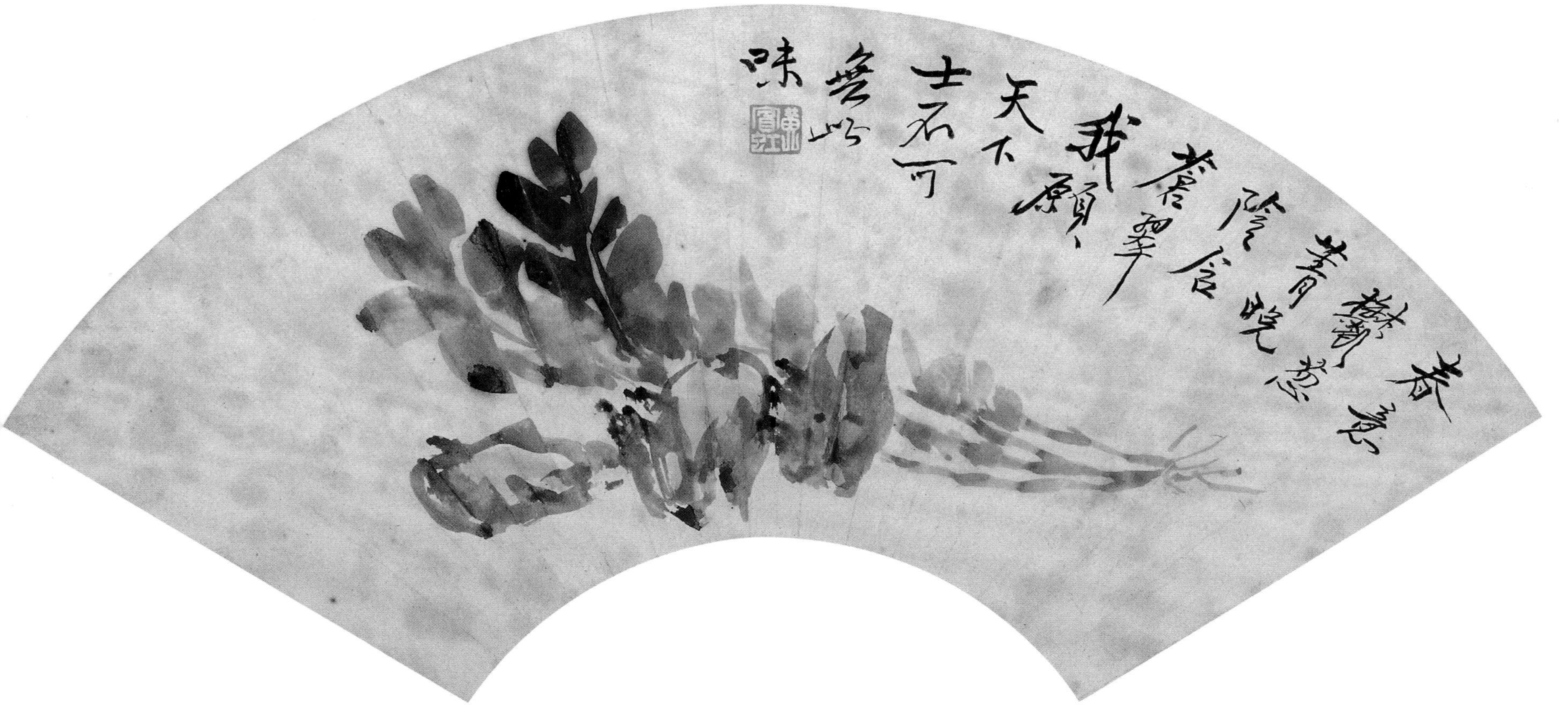

之三　不可無此味

題識：春意鬱葱菁　晚陰含蒼翠　我願天下士　不可無此味

鈐印：黄賓虹

之四　上苑根株少

題識：上苑根株少　風沙道路長　也知隨漢節　終得薦君王

鈐印：黄賓虹

之五　秋菊開滿園

題識：秋菊開滿園　秋月照滿地　月圓花亦圓　雙映如并蒂

鈐印：黃賓虹

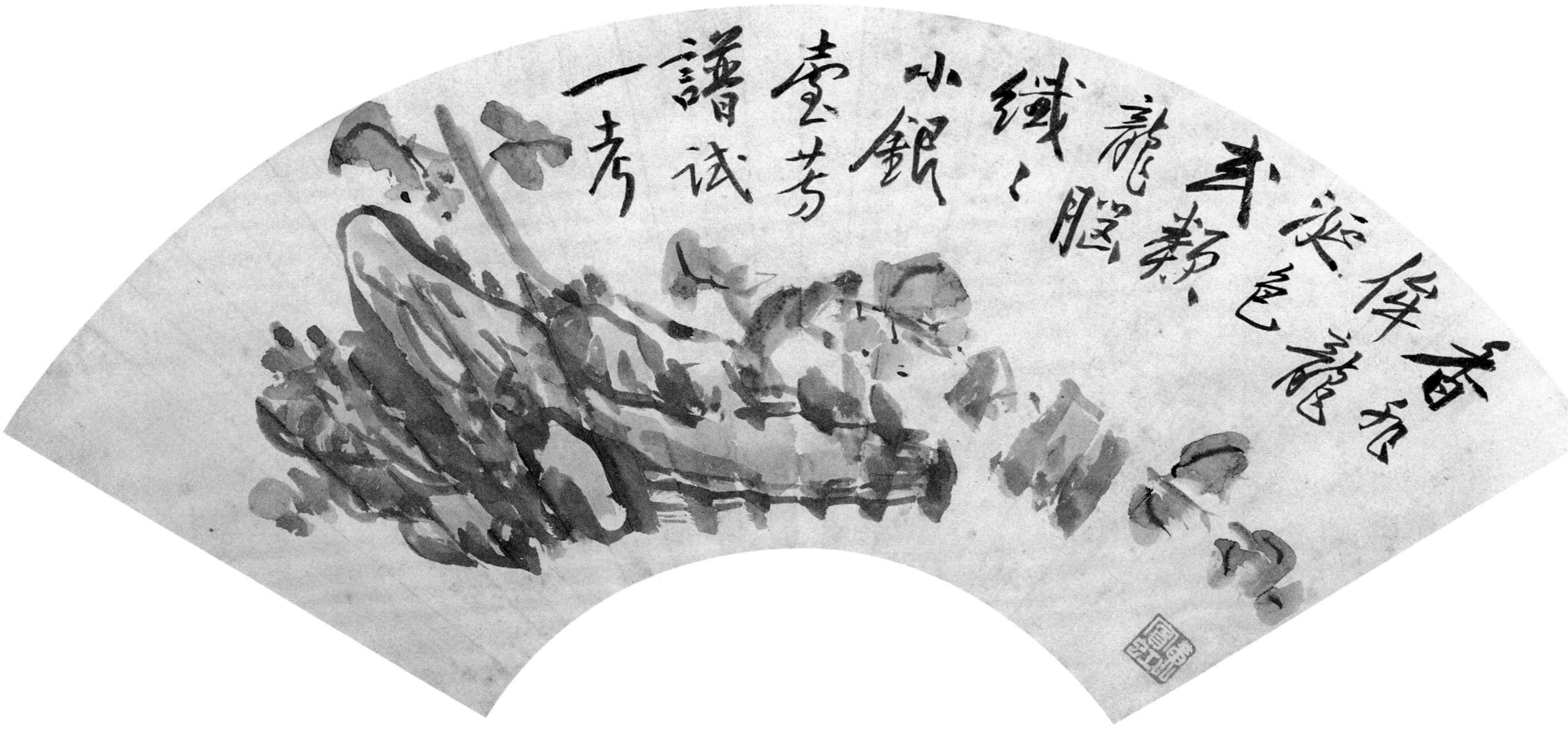

之六　香非倂龍涎

題識：香非倂龍涎　色或類龍腦　纖纖小銀臺　芳譜試一考

鈐印：黄賓虹

竹石 紙本

縱一八·四厘米 橫五〇厘米

浙江省博物館藏

題識：虹若

鈐印：黃賓虹

梅竹石 紙本 縱一八厘米 横五〇厘米 浙江省博物館藏

題識：取性在籬根 吐花方耀目 鈐印：黄賓虹

竹石 紙本 縱一七·七厘米 橫五〇厘米 私人藏

題識：虹若 鈐印：黄賓虹

秋花蚱蜢 紙本 縱三五厘米 横一八・五厘米 浙江省博物館藏

山茶梅花 紙本 縱三九厘米 橫二八厘米 浙江省博物館藏

草蟲 兩幅

紙本　縱三六厘米　橫五二厘米　浙江省博物館藏

之一

之二

翎毛畫稿 四幅 紙本 縱二八厘米 橫三八厘米 浙江省博物館藏

之一 之二

之三　之四

枯木八哥　紙本　縱一八厘米　橫二九厘米　私人藏

鈐印：賓虹之鉩　黃賓虹　黃質賓虹

花鳥

紙本　縱二七厘米　横三五·五厘米　私人藏

翎毛畫稿

紙本　縱二九厘米　橫四五·五厘米　浙江省博物館藏

翎毛畫稿 紙本 縱六二·八厘米 横四四·九厘米 浙江省博物館藏

畫稿 紙本

縱六三厘米 橫一〇九・八厘米

浙江省博物館藏

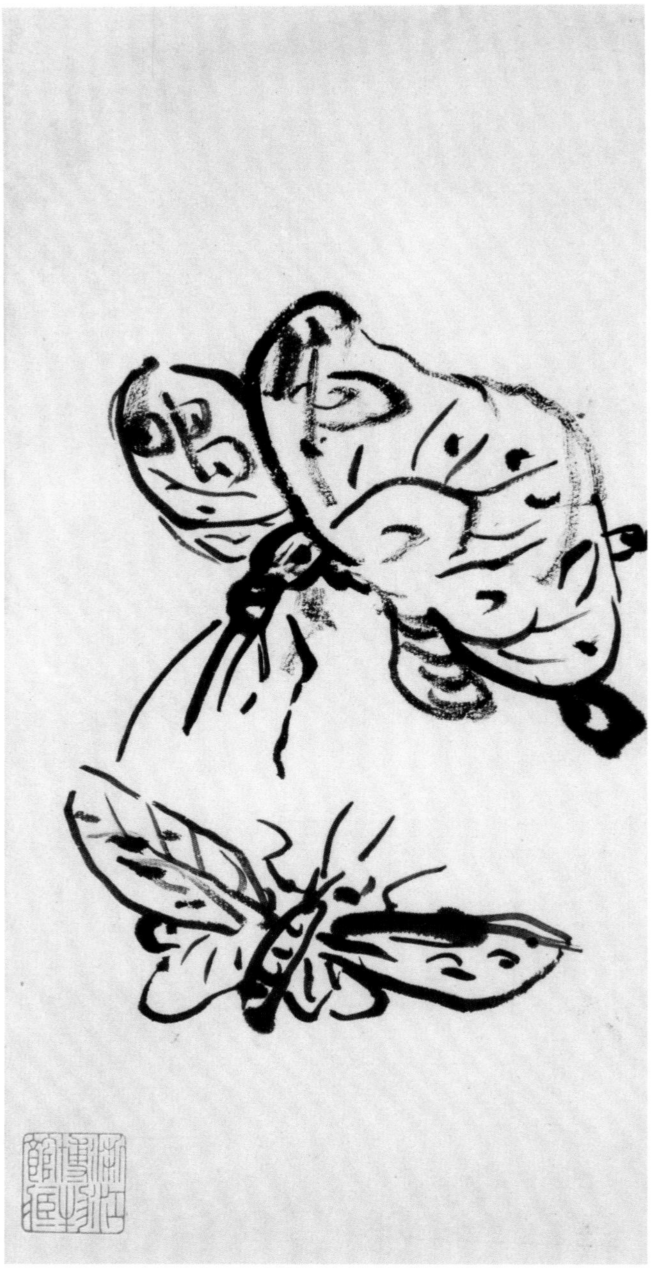
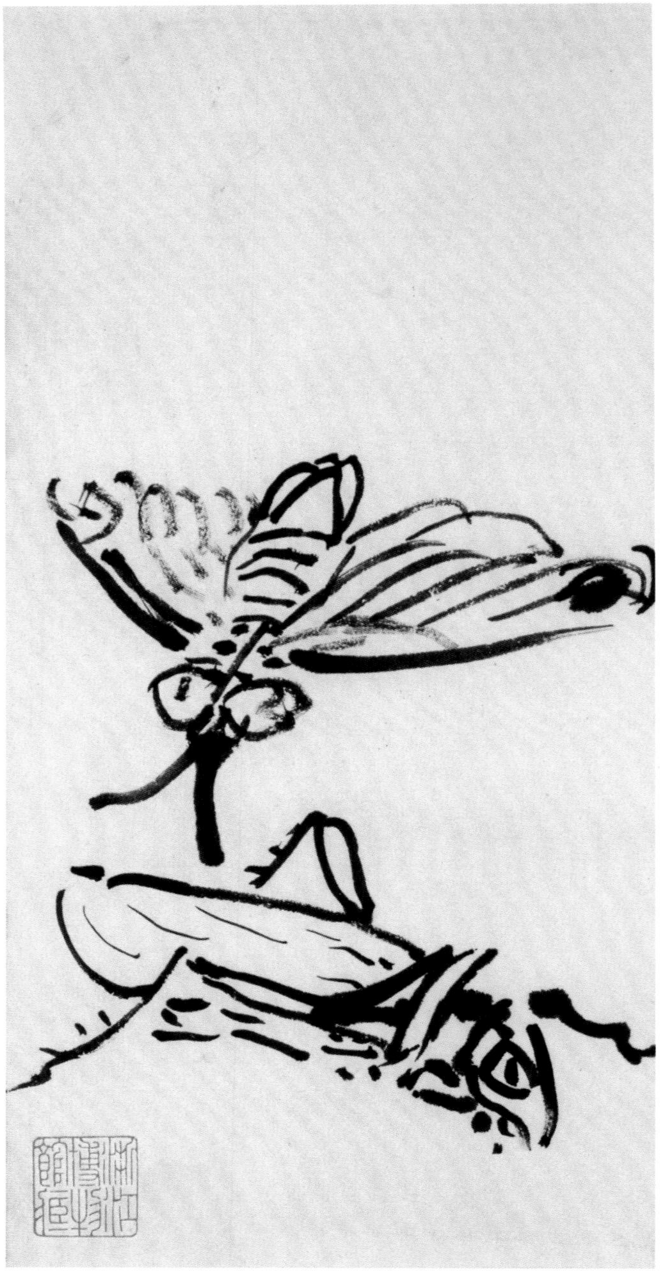

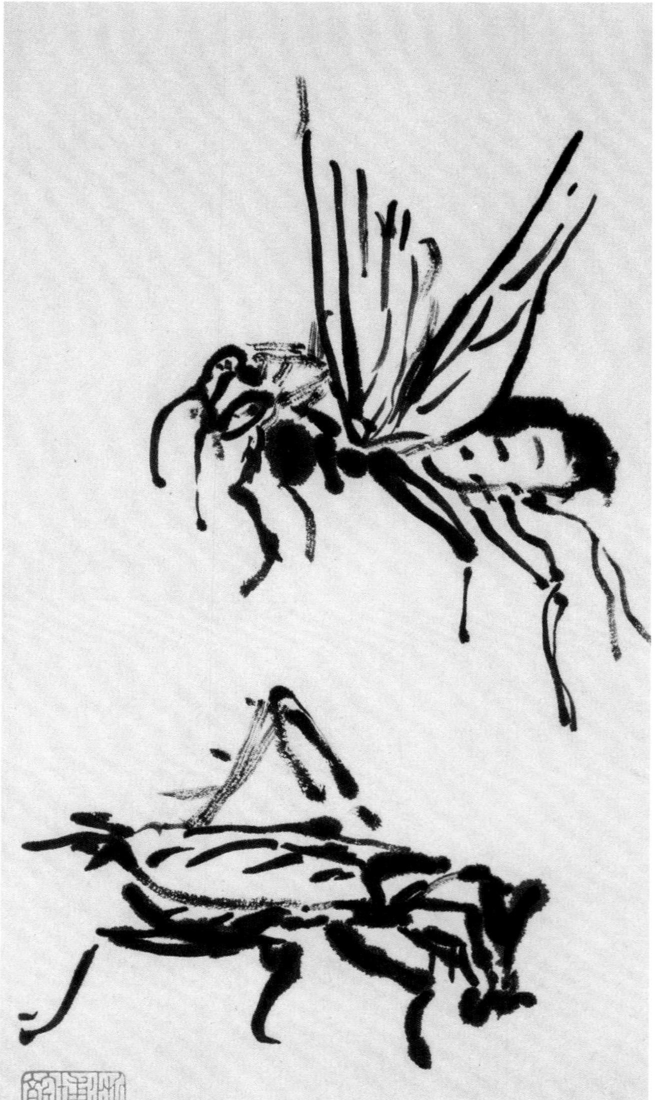

草蟲畫稿 四幅　紙本　縱二二厘米　橫一一·五厘米　浙江省博物館藏

黍離圖　紙本　縱一二一厘米　橫四一厘米　私人藏

題識：太虛蠓蠛幾經過　瞀眼桑田海又波　玉黍離離舊宮闕　不堪斜照伴銅駝

鈐印：十硯千墨之居　黃質賓虹　黃質印信　高蹈獨往蕭然自得　冰上鴻飛館

雜花 紙本

縱二二厘米 橫二六〇厘米

浙江省博物館藏

芙蓉翠鳥 紙本 縱九四厘米 橫三二厘米 浙江省博物館藏

榴花雙禽

紙本　縱一〇八厘米　橫四一厘米　浙江省博物館藏

湖石花卉　紙本　縱一一九厘米　橫四〇厘米　安徽省博物館藏

鈐印：黃賓虹　賓虹草堂

花鳥 紙本 縱一一〇厘米 橫四一厘米 浙江省博物館藏

花鳥 紙本 縱六八厘米 橫四五厘米 私人藏

鈐印：黄賓虹

菊花竹枝 紙本 縱六七厘米 橫三四厘米 浙江省博物館藏

花卉芭蕉 紙本 縱一〇一厘米 橫三三·五厘米 浙江省博物館藏

鈐印：黄賓虹

山茶梅花 紙本 縱九一厘米 橫三五厘米 浙江省博物館藏

山茶梅花 紙本 縱七五厘米 橫四〇厘米 浙江省博物館藏

芙蓉牽牛竹

紙本 縱七五·五厘米 橫三〇·五厘米 浙江省博物館藏

花卉 紙本 縱三八・五厘米 橫二二・五厘米 浙江省博物館藏

花卉 紙本 縱一〇三厘米 橫三四厘米 浙江省博物館藏

花鳥 紙本 縱六三厘米 橫三四·五厘米 浙江省博物館藏

花卉草蟲 紙本 縱七五·五厘米 橫四一厘米 浙江省博物館藏

月季草蟲　紙本　縱八〇厘米　橫四〇·五厘米　浙江省博物館藏

鈐印：綠雪軒

秋花螳螂 紙本 縱一〇四厘米 橫四〇·五厘米 浙江省博物館藏

花卉

紙本　縱七六厘米　橫四一厘米　浙江省博物館藏

月季草蟲 紙本 縱五七厘米 橫三七厘米 浙江省博物館藏

玉蘭 紙本 縱六五·五厘米 橫三三厘米 浙江省博物館藏

鈐印：黄冰鴻 賓虹草堂

茶花水仙天竹　紙本　縱一〇三厘米　橫五四·六厘米　浙江省博物館藏

花卉

紙本 縱一三三·九厘米 橫五〇·七厘米 浙江省博物館藏

月季玉蘭海棠　紙本　縱七三·八厘米　橫三〇·二厘米　浙江省博物館藏

雙清圖 紙本 縱九〇厘米 橫三七厘米 浙江省博物館藏

鈐印：黃賓虹 虹廬

蝶花 紙本 縱八八·九厘米 横三〇·三厘米 浙江省博物館藏

鈐印：黄賓虹印 賓虹草堂 高蹈獨往蕭然自得

湖石花卉　紙本　縱三九厘米　橫二五·四厘米　浙江省博物館藏

鈐印：黄賓虹

雙清圖 紙本 縱六九厘米 橫三五厘米 浙江省博物館藏

花石草蟲　紙本　縱九七厘米　橫三八厘米　浙江省博物館藏

石花秋蟲 紙本 縱九七厘米 横三八·五厘米 浙江省博物館藏

菊石圖 紙本 縱九六·五厘米 橫四四厘米 浙江省博物館藏

梅竹圖　紙本　縱六一・五厘米　橫三二・五厘米　浙江省博物館藏

花卉天牛 紙本 縱八八·五厘米 橫三一厘米 私人藏

鈐印：黃賓虹 黃賓鴻

花石草蟲
紙本　縱九七厘米　橫三八·五厘米　浙江省博物館藏

花石草蟲　紙本　縱九六厘米　横四四厘米　浙江省博物館藏

湖石蜂花　紙本　縱九五厘米　橫三八·五厘米　浙江省博物館藏

花卉　紙本　縱八〇·五厘米　橫三四·五厘米　浙江省博物館藏

老梅圖 紙本 縱一〇六·五厘米 橫三三·四厘米 西泠印社藏

題識：予向 鈐印：黄賓虹

梅竹圖　紙本　縱八八·一厘米　橫三三·三厘米　浙江省博物館藏

鈐印：黃賓虹　竹窗

梅竹圖 紙本 縱一〇二厘米 橫三二厘米 一九四九年作 香港緣山堂藏

題識：己丑 八十六叟賓虹寫 鈐印：黃賓虹印

梅竹圖　紙本　縱一〇二厘米　橫三二厘米　一九四九年作　香港緣山堂藏

題識：仲坰先生清鑒　乙丑　八十六叟　賓虹

鈐印：黃賓虹　黃山山中人

花卉蒼石圖　紙本　縱一二二厘米　橫四〇·五厘米　浙江省博物館藏

水仙山茶梅花　紙本　縱一一六厘米　橫四〇厘米　一九四九年作　瀋陽故宫博物院藏

題識：德良先生博粲　己丑　賓虹年八十又六　鈐印：黄賓虹印

芙蓉 紙本 縱七六厘米 橫四〇厘米 浙江省博物館藏

題識：含剛健于婀娜 此效元人筆意寫之 賓虹 鈐印：黄賓虹印 冰上鴻飛館

頑石而以靈秀之筆出之
古人遒勁樸實如此當不嫌拙
辛卯賓虹年八十有八

頑石圖　紙本　縱八〇厘米　橫二八·五厘米　一九五一年作　浙江省博物館藏

題識：頑石而以靈秀之筆出之　古人遒勁樸實　如此當不嫌拙　辛卯　賓虹年八十有八

鈐印：虹廬　黃賓虹　黃賓虹　賓公

花卉 紙本 縱六六厘米 橫三四厘米 一九五一年作 私人藏

題識：辛卯 賓虹 年八十又八 鈐印：黃賓虹 黃山山中人

梅竹圖 紙本 縱八七·五厘米 橫三二厘米 一九五一年作 安徽省博物館藏

題識：辛卯 八十八叟賓虹寫 鈐印：黃賓虹

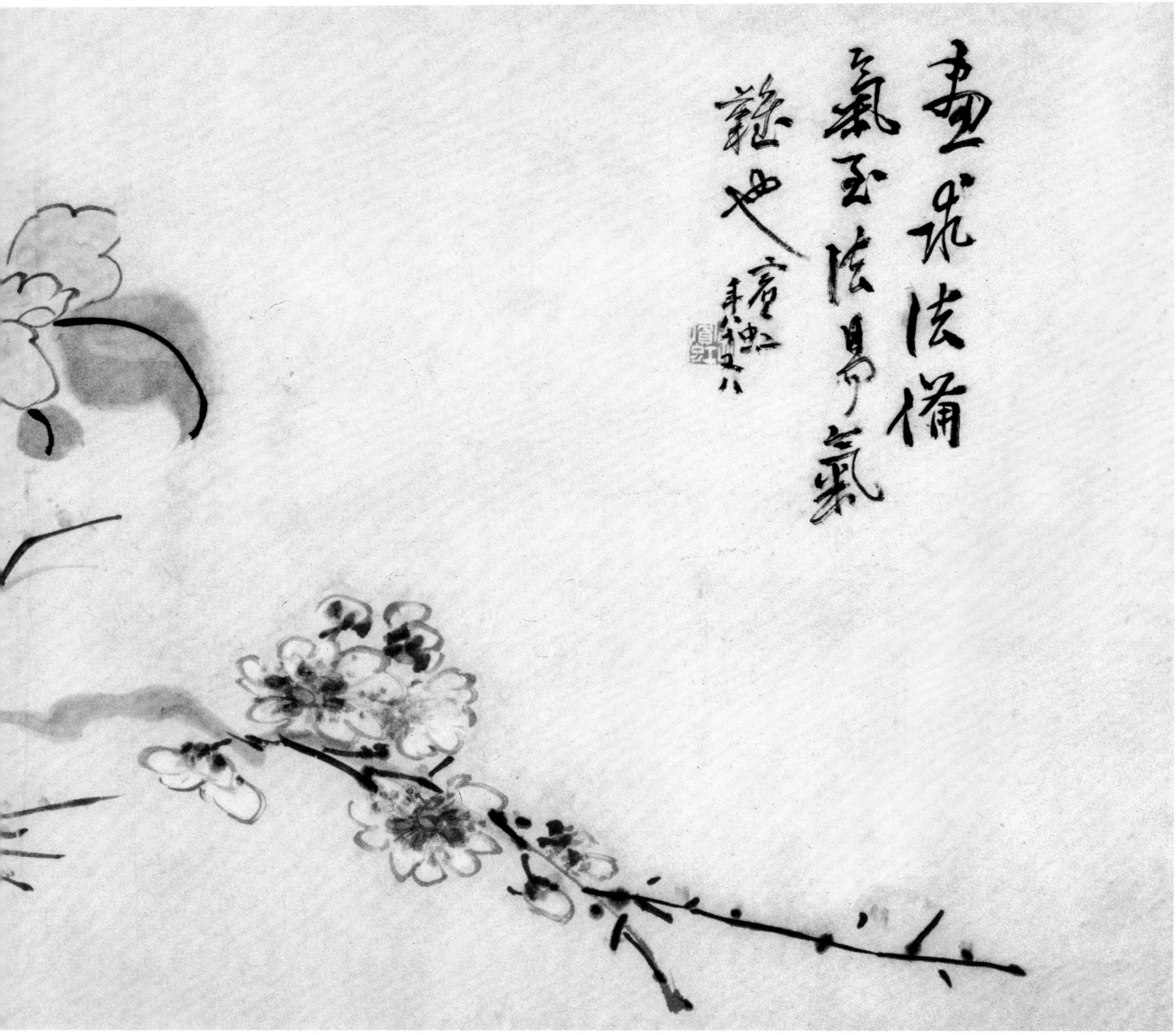

山茶白梅 紙本

縱三九厘米 橫九一厘米

一九五一年作 私人藏

題識：

畫求法備氣至 法易氣難也

賓虹 年八十又八

鈐印：黃賓虹 虹廬

花卉草蟲　紙本　縱八七厘米　橫三九厘米　一九五二年作　香港緣山堂藏

題識：前人論解弢館畫求脱太早　脱去理法之迹象　入其玄悟　正不妨拙　拙亦可喜　寫博居素吾兄有道一笑　壬辰　賓虹八十又九

鈐印：黄賓虹　取諸懷抱

石花蜻蜓 紙本 縱八七厘米 橫三九厘米 一九五二年作 香港緣山堂藏

題識：嘗見雷鯉豐道生寫花 不求貌似而生趣已足 茲一擬之 壬辰 賓虹年八十又九

鈐印：黃賓虹 取諸懷抱

芙蓉 紙本 縱六八・六厘米 橫三二・一厘米 一九五三年作 浙江省博物館藏

題識：以點染寫花 含剛健于婀娜 癸巳 賓虹年九十

梅　紙本　縱九六・五厘米　橫四一厘米　一九五三年作　浙江省博物館藏

題識：水邊籬落　歸而寫此　癸巳　賓虹年九十

花卉　紙本　縱四五・五厘米　橫二九厘米　一九五三年作　浙江省博物館藏

題識：擬元人寫意　賓虹年九十

擬元人寫意
賓虹年九十

茶花 紙本 縱六六·五厘米 横三三·五厘米 一九五三年作 浙江省博物館藏

題識：癸巳 賓虹年九十 寫于西泠

梅 紙本 縱七一厘米 橫二九·五厘米 一九五三年作 浙江省博物館藏

題識：水邊籬落 歸而寫此 癸巳 賓虹年九十

前三十年梅炎入黃山見
野卉叢生邃谷中多不
識名因寫爲圖
癸巳賓虹年九十

黃山野卉 紙本 縱八五·五厘米 橫四一·八厘米 一九五三年作 浙江省博物館藏

題識：前三十年 梅炎入黃山 見野卉叢生邃谷中 多不識名 因寫爲圖 癸巳 賓虹年九十

策　　劃・姜衍波　奚天鷹　王經春
主　　編・王伯敏
執行副主編・王經春
副　主　編・王肇達　趙雁君
分卷主編・盧坤峰　王　荔
文字總監・梁　江
導　　語・駱堅群
責任編輯・田林海　王勝華　俞建華　王肇達
釋　　文・俞建華　王宏理
文字審校・俞建華
裝幀設計・毛德寶　俞佳迪　王肇達　田林海　王勝華
責任校對・黃　静
圖片攝影・葛立英　鄭向農

圖書在版編目（CIP）數據

黄賓虹全集.8，花鳥/《黄賓虹全集》編輯委員會編.—濟南：山東美術出版社；杭州：浙江人民美術出版社，2006.12（2012.4重印）

ISBN 978-7-5330-2339-3

Ⅰ.黄… Ⅱ.黄… Ⅲ.花鳥畫-作品集-中國-現代 Ⅳ.J222.7

中國版本圖書館CIP數據核字（2007）第015681號

出品人：姜衍波　奚天鷹

出版發行：山東美術出版社

濟南市勝利大街三十九號（郵編：250001）

http://www.sdmspub.com

電話：（0531）82098268　傳真：（0531）82066185

山東美術出版社發行部

濟南市勝利大街三十九號（郵編：250001）

電話：（0531）86193019　86193028

浙江人民美術出版社

杭州市體育場路三四七號（郵編：310006）

http://mss.zjcb.com

電話：（0571）85176548

浙江人民美術出版社營銷部

杭州市體育場路三四七號十九樓（郵編：310006）

電話：（0571）85176089　傳真：（0571）85102160

製版印刷：深圳華新彩印製版有限公司

開本印張：787×1092毫米　八開　四十一印張

版次：二〇〇六年十二月第一版　二〇一二年四月第二次印刷

印數：二〇〇一冊—二八〇〇冊

定價：柒佰捌拾圓